Para
com votos de paz.

NOTA DA EDITORA

A Bíblia está entre nós há muito tempo. Foram muitos anos com cópias e traduções para quase 750 idiomas diferentes. Cada denominação cristã atualmente tem uma versão própria, com diferenças entre elas, o que pode ser averiguado com simples comparações. A benfeitora Amélia Rodrigues, notória poetisa baiana e professora quando encarnada, do Mundo espiritual descreve-nos fatos da vida de Jesus em suas obras. Conforme já elucidado pela própria autora espiritual, suas narrativas evangélicas contêm informações "**hauridas nos alfarrábios do Mundo espiritual e nas memórias arquivadas em obras de incomum profundidade por alguns dos seus apóstolos e contemporâneos, encontradas nas bibliotecas do Mais-além, que trazemos ao conhecimento dos nossos leitores, a fim de revivermos juntos o sublime Ministério do Rei Solar a quem amamos com entranhado enternecimento**".* Portanto, no texto mediúnico proposto por ela, há informações que não necessariamente são abordadas e descritas na literatura terrena.

---

* FRANCO, Divaldo; RODRIGUES, Amélia [Espírito]. **A mensagem do amor imortal**. 1. ed. Salvador: LEAL, 2008, Prefácio. Vide também as obras *Primícias do Reino* (Prólogo) e *Luz do mundo* (Antelógio).

DIVALDO FRANCO
Pelo Espírito AMÉLIA RODRIGUES

LUZ DO MUNDO

SÉRIE AMÉLIA RODRIGUES – VOL. 2

EDITORA LEAL

SALVADOR
1. ED. ESPECIAL – 2024

COPYRIGHT ©(1971)
CENTRO ESPÍRITA CAMINHO DA REDENÇÃO
Rua Jayme Vieira Lima, 104
Pau da Lima, Salvador, BA.
CEP 412350-000
SITE: https://mansaodocaminho.com.br
EDIÇÃO: 1. ed. – 2024
TIRAGEM: 1.000 exemplares
COORDENAÇÃO EDITORIAL
Lívia Maria Costa Sousa

REVISÃO
Luciano de Castilho Urpia
CAPA E MONTAGEM DE CAPA
Ailton Bosco
EDITORAÇÃO ELETRÔNICA
Ailton Bosco
GLOSSÁRIO: Cleber Gonçalves,
Lenise Gonçalves e Augusto Rocha
COEDIÇÃO E PUBLICAÇÃO
Instituto Beneficente Boa Nova

PRODUÇÃO GRÁFICA
LIVRARIA ESPÍRITA ALVORADA EDITORA – LEAL
E-mail: editora.leal@cecr.com.br

DISTRIBUIÇÃO
INSTITUTO BENEFICENTE BOA NOVA
Av. Porto Ferreira, 1031, Parque Iracema. CEP 15809-020
Catanduva-SP.
Contatos: (17) 3531-4444 | (17) 99777-7413 (WhatsApp)
E-mail: boanova@boanova.net
Vendas on-line: https://www.livrarialeal.com.br

Dados Internacionais de Catalogação na Publicação (CIP)
(Catalogação na fonte)
BIBLIOTECA JOANNA DE ÂNGELIS

F825   FRANCO, Divaldo Pereira. (1927)

        Luz do mundo. 1. ed. especial / Pelo Espírito Amélia Rodrigues [psicografado por] Divaldo Pereira Franco, Salvador: LEAL, 2024.
        200 p.
        ISBN: 978-65-86256-60-4

        1. Espiritismo 2. Psicografia 3. Evangelho
        I. Título II. Divaldo Franco

        CDD: 133.93

Bibliotecária responsável: Maria Suely de Castro Martins – CRB-5/509

DIREITOS RESERVADOS: todos os direitos de reprodução, cópia, comunicação ao público e exploração econômica desta obra estão reservados, única e exclusivamente, para o Centro Espírita Caminho da Redenção. Proibida a sua reprodução parcial ou total, por qualquer meio, sem expressa autorização, nos termos da Lei 9.610/98.
Impresso no Brasil | Presita en Brazilo

SUMÁRIO

	Antelógio	7
1	Boa-nova	13
2	A Estrela de Belém	17
3	O Reino diferente	23
4	A regra de ouro	29
5	Ensina-nos a orar	37
6	E Ele dormia	43
7	Pão da vida	51
8	Pescador de homens	59
9	Luz do mundo	65
10	O legado da tolerância	73
11	Multidão de sofrimentos	79
12	Ephphatha – abre-te!	85
13	Atire a primeira pedra	91
14	Ordena, somente	99
15	Seguir Jesus	105
16	O Esperado	111
17	Semeadores galileus	117
18	Servo de todos	125
19	Um voltou só	131
20	O Consolador	137
21	O Cantor e a canção	143
22	Tomar a cruz	151
23	Balizas de luz	159
24	Nem prisão nem morte...	165
25	A cura real	171
	Glossário	177

ANTELÓGIO

Hoje, como nos dias do passado, o homem sofre as mesmas necessidades, diferenciadas pelas circunstâncias de tempo e condicionamentos de técnica.

Toda vez que se tenta, porém, uma atualização das palavras augustas de Jesus, surgem, naturalmente, críticos apressados que se referem ao Cristianismo como uma doutrina *passadista*, que esteve a serviço das religiões e foi superada pelas realidades da cultura *hodierna*. Jesus, para eles, "pode ter existido", não tendo, porém, outra significação senão aquela que se atribui aos agitadores de todos os tempos, que buscaram "fermentar as massas humanas", tentando o ideal da fraternidade entre as criaturas.

Seus feitos e Suas palavras são considerados exclusivamente do ponto de vista sociológico, negando-se-lhes quaisquer outras decorrências que *ressumbrem* odores e realidades *transcendentes*.

Reacionários do *dogmatismo* religioso *anatematizam*, igualmente dogmáticos, todo esforço que objetive um estudo *consolador*, resultante da mensagem do Galileu Incomparável que inaugurou o *primado* do Espírito, falando uma linguagem sempre nova e atuante em todos os tempos.

Lamentavelmente, não são tais pensadores o resultado das experiências tecnicistas ou consequência da filosofia <u>cínica</u> destes dias. Sempre estiveram presentes na História, deixando pegadas bem expressivas do ceticismo a que se <u>aferraram</u>, amargos e amargantes.

Diz-se que o papa Urbano VIII, cientificado da desencarnação do cardeal Richelieu, após alguma reflexão, exclamara:

"Se existe um Deus, o cardeal terá de responder por muitas coisas. Se não existe, safou-se de boa".

No entanto, foi Urbano VIII o responsável pela guerra dos 30 anos, consequência natural da Contrarreforma...

❧

O homem dos nossos dias, no entanto, à semelhança dos homens de Israel do pretérito, tem necessidade de Deus e, por isso, Jesus é inadiável questão de encontro ou reencontro individual.

Transitam em roupas juvenis os Espíritos novos e dizem-se decepcionados com os ancestrais, procurando formar comunidades onde o amor deixe de ser comércio, e a esperança se transforme em paz.

Amargurados e inexperientes, porém, enveredam pelos caminhos das emoções e sensações <u>inusitadas</u>, tentando experiências <u>paranormais</u> por processos da <u>ilicitude</u>, derrapando, consequentemente, em lamentáveis <u>conúbios</u> com obsessões <u>aparvalhantes</u> que os dilaceram, afastando-os do amor e da paz — eles que somente experimentaram <u>opróbrio</u> e desprezo dos outros, desprezando-se a si mesmos, assim retornando às condições do <u>primarismo</u> humano, com mais instinto do que <u>cerebração</u>...

Os adultos superconfortados transformaram-se em observadores inconscientes dos dramas gerais, <u>negligentes</u> quanto ao próprio destino, esperando ensejo de <u>refocilarem</u> e apagar-se num nada *que* lhes seria o *tudo, o aniquilamento da forma e da consciência.*

Os mais velhos, aferrados às convicções hereditárias, acreditam seja tarde demais para uma revisão espiritual da vida, como se pudesse ser tarde para aprender ou recomeçar...

Os que se acreditam mais bem <u>aquinhoados</u> intelectual e culturalmente, apreciam o impacto decorrente do choque das gerações e sorriem como se se encontrassem num campo de batalha, em que sobreviverá o mais forte e o mais apto, a quem, vencedor, pretendem aliar-se...

E a convulsão prossegue.

Tudo porque Jesus continua desconhecido.

❦

Os problemas sociais, morais e políticos de hoje diferem pouco daqueles que agitavam os dias em que viveu Jesus conosco.

A superdensidade da população, as técnicas de comunicação esmagando o espírito humano por acúmulo de informações, produzem exaustão.

Busca-se tudo para solucionar a problemática externa, enquanto o homem prossegue sozinho, em incógnita ainda.

E Jesus continua ignorado.

Israel, soberba do pretérito, está hoje, simbolicamente, com dimensões gigantescas, fazendo-se representar pelas grandes nações adoradoras do deus <u>Moloch</u> *e do* bezerro de ouro.

Rabinos odientos e fariseus impiedosos, saduceus <u>astutos</u> e samaritanos detestados, galileus humildes e levitas *arbitrários multiplicam-se nestas horas, envergando roupagem diversa e ocultos sob nomenclatura estranha...*

O homem chegou à Lua, mas não penetrou o __âmago__ do próprio ser. Sempre é mais fácil a incursão para fora e a solução simplista de conquistar os outros, por mais confortadora e melhor retribuição externa, do que a __ingente__ conquista interior sobre si mesmo.

Solucionam-se na atualidade __intrincadas__ questões da técnica; a alucinação em torno do infinitamente pequeno, como do infinitamente grande, gerou a necessidade da criação de cérebros eletrônicos para a fixação de dados e a operação de cálculos mecânicos quase impossíveis de ser realizados pela mente humana, no tempo necessário ao acionamento dos reatores agentes das supervelocidades ou cuja vigência de respostas indispensáveis à agitação e __celeridade__ destes dias em que se desenvolvem as atuais __conjunturas__, conquanto transitórias, com as suas perspectivas __sombrias__, quanto nefastas, não poderiam ser atendidas com precisão.

Porque Jesus prossegue desconhecido.

Ele, no entanto, é a solução, a melhor solução para os intrincados quesitos da angústia universal.

Retorna à esfera humana, exatamente no momento ciclópico das necessidades, conforme prometera.

Antes fora precedido por uma __plêiade__ de pensadores e artistas que embelezaram a Terra e, então, inaugurou um período de paz e fraternidade, dobrando a __cerviz__ do Império Romano à tolerância e ao martírio, retificando os conceitos éticos vigentes.

Nestes dias, volta sob a mesma augusta companhia daqueles que Lhe prepararam a senda, ampliando enormemente os conceitos de liberdade, de paz, justiça e de amor

– *conquanto ainda não vividos por todos – para que, na condição de Consolador, atenda a todas as necessidades e faça secar as nascentes de todas as dores que teimam em perdurar.*

Ontem cantava a Verdade e a vivia no bucolismo de uma doce Galileia afável, verde, e a Natureza fez-se-Lhe um outro Evangelho – o da beleza e da poesia que vertiam da paisagem que emoldurava Suas palavras e Seus seguidores.

Hoje penetra as mentes e os corações, transformando-se no Amigo Divino que mantém colóquio com os que O amam e desejam reencontrá-lO, não obstante o longínquo caminho por onde seguem...

❦

Este livro, narrando e repetindo as mensagens do Senhor às Suas gentes simples e sofridas do passado, é um convite, uma tentativa de entretecer um colóquio com os que sofrem, apresentando-lhes Jesus, o Incondicional Benfeitor, que permanece aguardando por nós.

Nada traz de novo que já não se haja dito. Recorda, revive, atualiza feitos e palavras, cicia em musicalidade fraterna as expressões que conseguiram impregnar os séculos e não desapareceram, ora reapresentadas pelo pensamento kardequiano, encarregado de erigir o templo novo de fraternidade universal, delimitando as fronteiras do Reino de Deus, adimensionais como o próprio Universo que, no entanto, começa no coração, na alma do homem atribulado de todos os tempos.

Amélia Rodrigues

Salvador, 25 de janeiro de 1971.

1

BOA-NOVA

A história da Boa-nova é a epopeia do homem atormentado, buscando as fontes inexauríveis da Divina Misericórdia e recebendo a linfa refrescante da paz, que vem sorvendo lentamente através dos dois últimos milênios.

Por enquanto, condicionado às circunstâncias da própria necessidade, não tem sabido valer-se do gral asseado da abnegação e a toma em vasilhames impregnados de sujidades que impedem a absorção total e lenificadora do refrigério de que se faz instrumento.

Seguindo Jesus, o Amigo Excelente, não tem sabido o homem abandonar a estreiteza das limitações ideológicas em torno das quais circunvaga, para buscar os horizontes ilimitados da solidariedade em que se pode realizar e adquirir plenitude.

Asfixiado pela volúpia dos gozos imediatos, e suserano das paixões, reluta no momento de abdicar as velhas acomodações derrotistas, plasmando o esforço nobre da sublimação dos ideais.

Confundido pelas ideologias estranhas de classes e nações, padronizando direitos e deveres conforme os preconceitos que vitaliza, estoicamente, aferra-se ao mundo, conquanto o conhecimento comprove a invalidade da estrutura das chamadas realidades objetivas.

Por isso, amargura-se, demorando, lamentavelmente, vinculado aos hábitos anestesiantes nos quais se amolenta e envilece, surpreendendo-se com a morte e desesperando-se, odiando o sofrimento e fomentando-o, fugindo ao medo e espalhando-o, experimentando a própria alucinação, justiçando-o.

No entanto, a Boa-nova, em sua epopeia, representa a história do homem atormentado que bate às portas dos céus, ansiosamente, e recebe a resposta da esperança e do amor, atendendo-o generosamente.

Por toda parte, a figura do Singular Galileu era um raio de luz na noite dos apelos humanos, clareando por dentro as necessidades gerais.

Combatido a Seu tempo, não é aceito hoje, ainda, pela falsa cultura que entroniza o crime e desdenha a honra, arrazoando contra o amor, por meio de despeito azedo, por identificar na vitória que os desconsiderados pelo mundo conseguem em si mesmos, como Sua derrota ante o malogro das suas aspirações.

...E a epopeia do Cristo canta com toda a pujança.

Aí está no dia a dia a representação das vidas que a Sua Vida levantou. Repontam em abundância as existências que Ele soergueu, e no incessante renascer das mesmas aflições, como reflorescimento das velhas árvores da angústia, parecem aguardar o Jardineiro doutrora...

Aqui estão embrulhadas na dor as aflitas mães viúvas em evocação à de Naim, rogando ajuda com as almas em frangalhos, desesperançadas; vestidas de ilusão, derrapando na ociosidade alucinada, virgens loucas desfilam em contínuo cortejo de insensatez, esquecidas da responsabilidade, embriagando-se para logo tombarem sonolentas nos resvaladouros do erro, perdendo os noivos, quando chegam; os onzenários que preferem a algaravia cambial e o sonido expressivo dos valores que perseguem, em detrimento da *joia de alto* preço, que merece ser adquirida com o resultado arrecadado pela venda de todas as pequenas joias, porque estão desatentos perdem a mais preciosa: a paz interior; interrogantes, os príncipes da ciência e da filosofia, indagando e indagando sempre, sem reflexionar, fixados aos compêndios tradicionais e aos conceitos dúbios a que se aferram, são surpreendidos pela desencarnação para constatarem, arrependidos, tardiamente...

Rareiam os novos centuriões cuja fé rutila nos olhos e clareia por dentro, prosternando-se ante Ele para esperar a cura do servo e consegui-la, ou da mulher siro-fenícia cujo ardor deu-lhe intrepidez para tocar-Lhe as vestes e arrancar-Lhe "a virtude" da saúde; ou da obsidiada de Magdala que rompeu em definitivo a noite interior para que a Sua luz a incendiasse por dentro, haurindo n'Ele o combustível que a manteria em claridade contínua até a vitória final.

Ele, no entanto, continua esperando.

Sua voz utiliza para ensinar a singeleza de um grão de mostarda, de redes a secarem ao Sol, de peixes e varas verdes, de uma figueira-brava, de talentos, de pérolas, de fermento, conhecidas de todos essas expressões, arrancadas da experiência diária de cada um, como lição sempre nova, abrindo clareiras de sabedoria na floresta dos conceitos complexos e inexpressivos que não conduzem a mente atormentada a lugar nenhum.

A Boa-nova ressuma esperança, pois é a história do homem angustiado, batendo, e Jesus respondendo, em forma de socorro lenificador incessante, como a dádiva de Deus para a libertação do ser.

2

A ESTRELA DE BELÉM

Cristãos decididos e sinceramente interessados na elucidação do fenômeno que produziu a Estrela de Belém, à semelhança dos investigadores materialistas, hão recorrido, através da História, a matemáticos e astrônomos capacitados, ansiosos por uma resposta perfeitamente lógica e racional sobre o inusitado aparecimento do astro a que se referem os escritores evangélicos. E, de quando em quando, fiéis às pesquisas feitas nos mapas celestes, aqueles estudiosos tentam traçar diretrizes que clarifiquem, em definitivo, o insuspeito acontecimento, na noite santa em que ocorreu o Natal de Jesus, e posteriormente vista pelos *Magos* do Oriente, que por ela foram guiados.

Segundo alguns observadores, fora o Cometa de Halley que naquele dia e àquele período fazia-se visível por toda a Galileia e parte oriental do país. Para outros era uma conjunção oportuna de astros que produziram refração na atmosfera, incidindo o facho luminoso sobre a manjedoura singela, que Ele dignificou com o Seu nascimento.

Conquanto possamos admitir uma ou outra hipótese, Jesus é, em síntese, a *constelação dos astros divinos* ergastulados temporariamente na forma humana para conviver com os homens, deixando pela atmosfera envolvente do planeta o rastro luminescente da sua imersão, como mensagem de advertência reveladora.

Rei Divino – não obstante, submeteu-se às conjunturas da transitória convivência humana para, sublime, lecionar humildade.

Construtor da Terra – todavia, deixou-se experimentar pelas circunstâncias ocasionais do ministério entre as criaturas, para ensinar a grandeza da renúncia.

Legislador Sublime – entretanto, aquiesceu sofrer as imposições da ignorância religiosa de Israel e os padrões arbitrários da política do Império Romano, facultando-se a decisão no jogo odioso da ética vulgar, a fim de que se cumprissem as Leis e os Profetas, na integridade das previsões n'Ele, todo amor!

Em toda a Sua jornada, à semelhança de astro que se arrebenta em luz na imensidão escura da noite, clareou os destinos dos homens, como obreiro infatigável, acendendo lâmpadas de esperança nos corpos alquebrados e nos tecidos gastos das almas, pelas constrições das paixões esmagadoras de todos os tempos.

Misturou-se à caterva dos que viviam a Sua hora e caminhou com os pés da aflição, sem permitir-se consumir ou contaminar pelas querelas mesquinhas, pelas imposições tradicionais ou pelas suspeitas manifestações da idiossincrasia a que se aferravam os que O cercavam continuamente.

Por nem um minuto sequer se rebelou contra a miserabilidade que defrontava em toda a parte...

Arquiteto das estrelas, dobrou-se, sereno, na marcenaria humilde para que o pão fosse honrado com o suor da Sua face, e a estrutura da Nova Humanidade pudesse alicerçar-se no trabalho edificante, que é a mola mestra do progresso e da felicidade humana.

Mantendo incessante quão ininterrupto contato com o Pai e servindo pela aquiescência dos anjos que se Lhe submetiam, dialogou, pulcro, demoradamente, com os *Espíritos das sombras*, abrindo-lhes os ouvidos e acendendo a luz nos seus olhos apagados, com a inteireza moral das Suas conquistas incomparáveis.

Antes, todavia, de descer aos homens, fez que avatares do Seu Reino viessem ampliar as dimensões das fronteiras terrenas, preparando o solo do futuro.

E eles floresceram como superior manifestação da vida, ora na Índia, disseminando o reencarnacionismo e perfumando com toda uma filosofia de paz e renúncia os continentes dos Espíritos; ora na China, empreendendo os audaciosos voos da política sob as bases seguras da família, no lar e na sociedade, de modo a traduzir a porvindoura fraternidade entre os homens, com inequívoca força de amor e respeito ao dever; ora no Egito, reascendendo os sutis aromas da Imortalidade, nos santuários dos Templos e na intimidade das Escolas de Iniciação, mantendo acesas as flamas da verdade, mediante as comunicações entre os dois planos da vida; ora na Caldeia ou na Pérsia, favorecendo com a esperança milhares de vidas estioladas sob o clangor da guerra; ora na Hélade ou em Roma, criando a conceituação da beleza, da justiça, da legislação equilibrada e do ideal do bem.

Assim também por Israel, que por longos séculos de dor se fez depositária da Mensagem do Deus Único, transitaram esses Embaixadores Sublimes, irrigando com a linfa preciosa, decorrente do intercâmbio espiritual, os solos crestados dos Espíritos sofridos, a fim de que Ele próprio viesse oportunamente imolar-se, para ensinar a libertação total das limitações físicas e da opressão do barro humano...

Por isso, todos os Seus *feitos* empalidecem ante os Seus *ditos*, pois que as realizações no corpo são menores do que a vitalização da alma, em considerando que ninguém jamais vivera conforme Ele o fazia, transformando-se, Ele próprio, no caminho por onde deveriam rumar todos os homens na direção da Vida e da Verdade, que em suma Ele representava na Terra.

Mesmo assim, quando contemplava com lágrimas as dores do porvir do mundo e via o homem imerso na fragilidade do corpo carnal, prometeu voltar, através do *Consolador*, que seria o liame perene de união com Ele até o fim dos tempos...

O mergulho que começou em Belém não terminou no Gólgota, nem desapareceu após a visão da *Jerusalém Libertada, que o vidente de Patmos* preludiou...

Em Jesus, o Herói Invencível, que na Sua grandeza superou a astúcia de Cambises, rei dos persas, a violência de Alexandre Magno, da Macedônia, a audácia de Cipião, o Africano, e a estratégia de Júlio César, o *divino imperador*, as armas foram a mansidão e o amor, a abnegação e a misericórdia, entretecendo com esses fios de luz a túnica nupcial do noivado intérmino com a Humanidade de todos os tempos, pela qual espera desde o princípio, até o instante das bodas sublimes, para a reunião numa grande família, em pleno reinado da paz!

≪

A viagem fora longa para aquele casal, principalmente para aquela mulher grávida, durante quatro ou cinco dias, sacudida pelo trote da montaria...

Sucederam-se abismos e montes, subidas e descidas, quase às portas da Cidade Santa, chegando por fim a Belém...

...E, em pleno <u>fastígio</u> do Império Romano, indicado por uma estrela, anunciado pelos anjos, nasceu Jesus!

≪

Antes, e desde então, a Sua vida deverá ser examinada, em *"espírito e verdade"*, para ser compreendida e penetrada pelos olhos imateriais, os únicos capazes de vislumbrar o Seu Reino.

≪

Seja qual for a hipótese respeitável sobre a Estrela de Belém, a união dos Espíritos da Luz que mantinham o intercâmbio entre as duas Esferas formou um facho poderoso que indicava o lugar da tradição, em que Ele deveria começar o ministério entre os homens.

...Pastores e reis magos, todos videntes, convidados pelas Entidades celestes, seguiram-na, cada um a seu turno, enquanto os cantores sublimes proclamavam:

Glória a Deus nas alturas e paz na Terra entre os homens de boa vontade!

3

O REINO DIFERENTE

Que estranho e enigmático era aquele *Rabi!* – pensava Tiago, atormentado, em contínuos cismares. – É verdade que O amava, todavia, por mais profundo como era aquele amor, não conseguia compreendê-lO. A Sua mensagem penetrava as almas e as Suas atitudes de retidão conseguiam impressioná-lo de forma irreversível. Malgrado as dificuldades em que se debatia, sentia a grandeza do poema do amor que Ele cantava nas praias e com que arrebatava as multidões. Receava, porém, que a Palavra não demorasse por muitos anos como Ele desejava. Afinal, era necessário recorrer aos nobres e aos poderosos para granjear os favores humanos. As rédeas do poder permaneceram sempre, em todos os tempos, nas poucas mãos da força. E estas somente se faziam benignas em relação aos que agradavam as posições dos mandatários. O Rabi era <u>integérrimo</u> e bom, não obstante se recusasse sistematicamente à subserviência, evitando mesmo oferecer aos poderosos essas homenagens tão do agrado dos que desfrutam as situações de privilégio. Não poucas vezes, fora Ele acusado *pelos fariseus pelo fato de não ser encontrado entre os seus seguidores um príncipe sequer, um doutor da Lei, alguém que fosse alguma coisa... E tinham razão, forçoso era dizê-lo. E a verdade é que sempre Ele se encontrava cercado pelas multidões dos desgraçados, os malcheirosos...*

Indubitavelmente – considerava, magoado no íntimo –, *fazia-se* <u>*mister*</u> *assistir os sofredores, os enfermos, os carregados de problemas a fim de aliviá-los. Viver, todavia, exclusivamente envolvido pelos leprosos,* <u>*escrofulosos*</u>*, paralíticos, surdos, mudos, cegos, endemoninhados, não era atitude correta... Além disso,* <u>*colimando*</u> *as dificuldades em quase* <u>*desacato*</u> *às autoridades, permitia-se o Mestre a convivência com as meretrizes e os bandidos, os cobradores de impostos* – sempre detestados! –*, mantendo largas e cordiais* <u>*tertúlias*</u> *com eles, dividindo o pão, repartindo o peixe em* <u>*repastos*</u> *amigáveis e fraternos.*

Não, aquela não era uma atitude apropriada – arrematava o discípulo zeloso, mas invigilante.

Na Terra, somos obrigados – considerava, preocupado – *a viver segundo os padrões tradicionais. Como remover os velhos* <u>*óbices*</u>*, sem lhes sofrer as consequências? Que Reino seria esse, então, a que Ele se referia e se propunha? Por acaso um paraíso para mendigos e desventurados?*

Não conseguia ele mesmo <u>*sopitar*</u> *o desagrado ante as* <u>*pústulas*</u> *virulentas; nauseava-o a visão cavernosa da lepra nos tecidos humanos gastos... Detestava os pecadores e, nesse particular, era severo: a Lei deveria ser cumprida com toda a austeridade a que se reportava a* <u>*Torá*</u> – *cada erro recebendo a necessária punição.*

Diria ao Mestre, sim, na primeira oportunidade, quanto aos seus pensamentos, às suas conjecturas!

Em clara manhã perfumada, enquanto jornadeavam entre Cafarnaum e Magdala, o discípulo, interessado na fácil implantação do Reino de Deus entre os homens da Terra, resolveu, confabulando com o Amigo Divino, apresentar-Lhe as suas dúvidas.

– *Rabi!* – falou algo constrangido. – *Faz algum tempo, encontro-me angustiado por dolorosas interrogações.*

O Celeste Companheiro fitou-o com os olhos transparentes, penetrando-lhe a alma. Ante aquele gesto carinhoso nenhum segredo permanecia oculto, quedando-se, silencioso, aguardando.

– *Como sabes* – prosseguiu, delicado –, *também eu anseio pelo momento da glorificação do Nosso Pai entre os infelizes da Terra. Todavia, creio que, cuidando apenas dessa gente que nos cerca, muito difícil será colimar os objetivos a que Te reportas e que todos desejamos.*

Encorajado pela atitude de cordial simpatia e discreta aceitação da censura por parte do ouvinte, prosseguiu:

– *Conheço pessoas das classes mais favorecidas que não se negariam a contribuir com a sua posição, suas moedas e títulos, de modo a facilitarem a penetração dos nossos postulados entre os anciães e os mais representativos membros da nossa raça. Todavia, não se inclinariam eles a aceitar uma comunhão com estes que compartem nossos ideais: os proletários infelizes, a ralé sem-nome...*

O Mestre, sem traduzir qualquer surpresa ou desagrado, continuou sereno, de passo regular, caminho afora.

A Natureza, àquela hora da manhã, derramava ondas de leve perfume campesino pela alameda agradável que resguardava a <u>vereda</u>.

– *Anseio ver-Te em Jerusalém entre os mais expressivos nomes do povo* – aprestou-se Tiago, emocionado. – *Glorificado, passarás à posteridade entre aqueles filhos de Israel que serão sempre venerados pelas gerações futuras.*

E como o Senhor prosseguisse discretamente silencioso, indagou, inquieto, o discípulo agitado:

– *Não dizes nada, Mestre? Eu gostaria de ouvir Tua opinião.*

– *Tenho falado a todos a mesma linguagem* – acentuou, pausado, o Filho de Deus. – *Linguagem de amor e compreensão. Em verdade, as minhas palavras são atos que, inconfundíveis, não podem receber interpretação incorreta, nem se ajustam às malévolas conceituações. Não venho para os sãos, os felizes, os ditosos, os que já receberam da Terra o seu galardão, as suas reservas de alegria e as suas altas concessões de triunfo, conquanto transitórios.*

Refletindo no conteúdo das palavras do discípulo, aduziu, compassivo:

– *Tens toda a razão em ambicionar os êxitos que passam ligeiros e podes afervorar-te à sua conquista, marchando ao lado dos que se glorificam e dominam...*

És livre de minha parte para avançares pela rota que desejares. Aqueles, porém, que amam a meu Pai e me servem, fá-lo-ão ao lado dos atormentados, dos enfermos e desventurados, pois que para estes eu vim. Eu sou o médico das almas e tenho os braços abertos para todas as dores. O meu coração é fonte de reconforto para os que sofrem, e o Reino a que me refiro não possui balizas na Terra, nem pode ser compreendido dentro das diretrizes do tradicional humano. Alicerça--se sobre dores extenuantes e possivelmente nos holocaustos de muitas vidas. Cimentar-se-á no sacrifício dos que amam e que, nada possuindo, não receiam perder o que não têm.

Silenciou, fitando a estrada que serpenteava na direção da cidade a distância. Talvez, antecipando no tempo os acontecimentos do futuro, continuou:

– *O Filho do Homem triunfará, sim, em Jerusalém, de maneira inesquecível e seu nome passará à posteridade... Estará Ele entre os filhos da raça, em posição, porém, mui diversa à dos antepassados. Mas isto será apenas o começo das dores reservadas aos seguidores do Reino...*

O Sol penetrava em fios de ouro pela copa das árvores, e <u>chilreava</u> a passarada na ramagem oscilante.

O discípulo fez-se, então, pensativo.

– *O Reino de Deus* – concluiu o Mestre – *está dentro de cada um que o deseje. Não é trabalho externo, antes resultado do excelente labor anônimo e sacrificial nas noites de silêncio, nos dias de angústia e dor libertadora. Ninguém o verá, e esse herói, aquele que o conseguir realizar, não receberá aplauso, passando entre os homens desconsiderado, incompreendido, <u>malsinado</u>, todavia em paz consigo mesmo e em harmonia com Deus... Eis por que não posso atender às tuas sugestões. Obedeço Àquele que me enviou, pensando especialmente nas "meretrizes e nos <u>publicanos</u> que levarão a dianteira para o Reino de Deus", em preferência a muitos dos homens que aparentemente se encontram vinculados ao meu nome.*

Calou-se o Mestre.

Tiago caiu em pesada reflexão, enquanto caminhava ao Seu lado. Desde então passou a entender melhor o Reino de Deus, aquele que não tem aparências externas e que deve ser conquistado com decisão.

Ainda hoje, diante dos Espíritos difíceis, dos infelizes e dos perturbados, dos perturbadores e pervertidos, a atitude de muitos cristãos novos não difere daquela que Tiago, embora bem-intencionado, conquanto invigilante, mantinha antes do diálogo esclarecedor...

4

A REGRA DE OURO

Durante alguns meses haviam estado a Seu lado, participando das preleções na Galileia, pela <u>Decápole</u>, Jerusalém e Além-Jordão... Viram-nO atender enfermos de variada espécie, demonstrando invulgar poder sobre os "Espíritos imundos", que O obedeciam prontamente. Observaram-nO em múltiplas situações e sentiam-se maravilhados com Ele. Embora alguns houvessem abandonado seus quefazeres para O seguirem, sentiam-se invadidos por dúvidas e suspeitas infundadas, é certo, porém <u>acautelatórias</u>.

Aquele visionário falava de um Reino Novo que não conseguiam alcançar nem compreender.

Por que não Israel?! – perguntavam-se. – *Longos foram os dias de cativeiro sob o impiedoso jugo de estrangeiros desalmados; terrível o ódio das raças vizinhas; e cruentas as batalhas que aquele povo travava para sobreviver. Novamente o <u>grilhão</u> da escravatura disfarçava as dilacerações nos seus corpos e nas suas almas... Por que não conferir a supremacia a Israel, no concerto das nações?...*

Sem dúvida, o Seu poder era exercido sobre eles que estavam resolvidos, se necessário, a imolar-se até sob o Seu comando. Quando, porém, se ausentavam e a Sua presença diminuía o fascínio neles, sentiam-se fracos, saudosos da vida que levavam antes, receosos da empresa. Conquanto a Sua palavra rutilante e vigorosa lhes caísse como chuva contínua sobre terra sedenta, Ele não dizia tudo. Ensimesmava-se longas horas, quando não desaparecia inúmeras vezes, a sós, retornando com a face pálida e os olhos, que sempre brilhavam como duas gotas de luz, sombreados de dorida tristeza.

Relutavam interiormente.

João, por ser mais jovem, febricitado depois de cada discurso, sonhava com as estrelas e cantava entusiasmado a melodia da mocidade nas cordas da harpa do vento. Tiago, no entanto, seu irmão, amadurecido pelos anos de luta e experimentado em longos exercícios da vida, reflexionava, comparando Seus ditos aos escritos da Torá.

Simão e André deixaram as redes e seguiram-nO; Levi, que estava sentado na coletoria, convidado, levantou-se e O acompanhou. Depois, da multidão escolheu os demais, separando-os para a Sua seara: Felipe, Bartolomeu, Tomé, Tadeu, Simão, o *Zelote*, Tiago, filho de Alfeu e Judas Iscariotes...

※

Escutaram-nO há pouco, e a mensagem das bem-aventuranças ecoava docemente nas suas almas. Jamais alguém dissera o que Ele disse e como o disse.

Flutuavam no leve ar as nobres expressões, e nos rostos aflitos dos ouvintes o contágio sublime da Sua voz realizara inesperadas transformações.

Todas aquelas gentes vieram ao monte para receber o largo quinhão das Suas dádivas e estavam fartas: sorriam, e a esperança salmodiava hinos de paz nos seus corações sofridos. Retornavam, agora, aos lares, invadidos pela magia incomum do Seu Verbo. Jamais deixariam de ecoar aquelas promessas de vida nas quebradas dos tempos e de repercutirem na acústica das almas.

Ali estavam eles, agora, a sós com Ele.

Chamara-os à parte e com o acento tocante da Sua poesia, reunira-os em torno da Sua pessoa.

As estrelas espiam do engaste sombreado em que tremeluzem no alto e vertem pranto argênteo.

O buliçoso sacudir das ramagens na aragem que perpassa mistura a Sua voz às vozes do anoitecer.

Flutuando sobre o lago, nele se refletindo, o disco solar no poente de fogo e ouro incendeia a natureza.

O calor esmaece e um magnetismo envolvente domina, superando as manifestações exteriores.

O Estatuto da felicidade foi apresentado, e novos artigos, como corolários dos primeiros, são aditados.

Por fim, embargado pela emoção, o Rabi, com as vestes claras bordadas pelo ouro da refulgência crepuscular, esclarece:

— *Tendes ouvido que foi dito: "Amarás o teu próximo e aborrecerás o teu inimigo". Eu, porém, vos digo: Amai os vossos inimigos e orai pelos que vos perseguem, para que vos torneis filhos de vosso Pai que está nos Céus, porque Ele faz nascer o Seu sol sobre maus e bons, e vir chuvas sobre justos e injustos.*[1]

---

1. Mateus, 5:43 a 48 (nota da autora espiritual).

– Que ensinamento é esse?! – interrogam-se no âmago da alma surpresa. *– E reflexionam: a lei é severa: "Olho por olho, dente por dente". A alguém que prejudicou, tem o direito a sua vítima de cobrar a <u>sevícia</u> com a mesma intensidade. Como se poderão unir o amigo e o inimigo no mesmo abraço? Ajudar o adversário qual se ele fosse companheiro?* – eis algo impossível...

O Mestre os fita enternecido e os embriaga de docilidade.

O homem mau parece dizer está enfermo, e o adversário infeliz caminha para a loucura. Será <u>crível</u> atirá-los no fosso de misérias maiores?

Descerrando os lábios, indiferente ao surdo clamor deles, prossegue:

– Pois se amardes aos que vos amam, que recompensa tendes? Não fazem os publicanos também o mesmo? Se saudardes somente aos vossos irmãos, que fazeis de especial? Não fazem os gentios também o mesmo? Sede vós, pois, perfeitos, como Vosso Pai Celestial é perfeito.[2]

É um desafio ousado aquele programa.

Esse Estatuto certamente regerá o Reino a que Ele se refere.

As lágrimas rebentam nos seus olhos e correm silenciosas pelas faces. As emoções mais sutis os dominam.

Amar para adquirir a perfeição.

Construir a diferença no íntimo para não serem iguais aos maus. Essa diferença é quase um nada e é tudo: o amor aos inimigos!

---

2. Mateus 5:43 a 48 (nota da autora espiritual).

A "regra de ouro" para a Humanidade se impõe como o fundamento essencial no novo Reino que Ele vem instalar na Terra.

Já não há equívocos. Os outros eram reinos levantados sobre os despojos dos vencidos, que se transformavam em adubo fecundante, quando não se faziam veículos de pestes dizimadoras. O forte esmagava o fraco e se apresentava como se fora mais forte. A usura se armava de ambição e marchava sob o comando da impiedade para dominar.

Amar! Amar mesmo os inimigos para instaurar a Era da Misericórdia que precederia a do amor real.

Os primeiros artigos do Estatuto apresentado eram preceitos simples, temas de conversas das margens dos lagos e da boca das lavadeiras nos ribeirinhos cantantes.

Conviver e amar os adversários e não lhes resistir por meio de violência...

Ele viveria, durante todo o Seu ministério, aquela regra. Daria a vida. Cumpriria a lei.

⁂

Eles quase pertenciam às mesmas famílias. Nascidos e crescidos ali, às margens do lago, se conheciam.

André e Simão, com sobrenome Cephas ou Pedro, eram ambos os filhos de Jonas, nascidos em Betsaida, residentes, porém, há muito, em Cafarnaum.

João e Tiago – os "filhos do trovão", como o Senhor os chamava – descendiam de Zebedeu e Salomé, que Lhe foram fiéis até o Gólgota; Felipe era de Betsaida; Natanael ou Bartolomeu, filho de Ptolomeu, provinha de Caná; Simão, o *Zelote*, viera de Canaan; Tomé ou Dídimo, por ser gêmeo, era descendente de um pescador

Divaldo Franco • Amélia Rodrigues

de Dalmanuta; Tiago, o *Moço*, Judas Tadeu, seu irmão, e
Mateus Levi, o ex-publicano, eram filhos de Alfeu e Maria
de Cleofas, parenta de Maria, Sua mãe, nazarenos todos,
eram primos afetuosos e passavam como "seus irmãos"; e
Judas, filho de Simão, originário de Kerioth, a pequena
cidade da extremidade sul de Judá... Eis o grupo.

Todos galileus, menos Judas...

Eram os membros que participavam da fundação
do Reino e recebiam as Leis que o deveriam reger. Todos
seriam irmãos, mensageiros, *"apóstolos"* – "que são
enviados!".

O ar perfumado dos longos campos chega, e a transparência colorida do céu em poente comove.

Eles se dobram sobre as próprias necessidades e ra-
ciocinam.

O Rabi silencia.

Reino de Amor!

Lançadas suas bases, deveria resistir até os confins
dos séculos.

❦

Preservando a regra áurea do amor, Tiago, o moço,
foi arrojado do pináculo do Templo e apedrejado até a
morte...

Bartolomeu, ouvindo n'alma a musicalidade do
amor, sofreu o martírio e morreu na cruz de cabeça para
baixo, após ser esfolado vivo.

Judas Tadeu, esparzindo aquele pólen de amor,
doou a vida na Armênia, sob flechadas cruéis.

André, crucificado, e Felipe, martirizado, permaneceram amando.

Simão, o Zelote, amando, deixou-se crucificar na Pérsia em singulares traves...

Tomé, o Dídimo, renovado, crente e amoroso, padeceu o golpe de uma lança, na Índia, oferecendo-Lhe a vida...

Tiago teve decepada a cabeça, fiel ao amor, na *Casa do Caminho*...

Mateus, também amoroso, consentiu em ser martirizado...

Pedro, esfuziante, dominado pelo *milagre* do amor, permitiu-se crucificar em Roma...

O tributo do amor – não resistir aos maus!

Do grupo híbrido sai a nova Humanidade a renovar e modificar a Terra.

– *Amai os vossos inimigos e doai o bem a quem vos faça o mal* – enunciara.

O Reino de Deus chegara à Terra dos homens e confraternizara com eles, em nome do amor.

5

ENSINA-NOS A ORAR

O planalto da Judeia se eleva naquele local a quase 830 metros acima do nível do mar, sendo ali o seu ponto culminante. *Ephrém* é região bucólica, onde os damasqueiros se arrebentam em flores, se vestem de frutos, e as tulipas se multiplicam em campos verdejantes com abundância do Sol dourado, cujos poentes se demoram em fímbrias coloridas, contrastando com as sombras das noites em vitória...

A aldeia de *Ephrém,* ou *Efraim,* é um amontoado de casas singelas entre flores silvestres e roseiras variadas, situando-se sobre um largo terraço fértil do planalto árido, onde, no entanto, abundam nascentes cantantes e de cujas bordas se avistam, no longo vale que se esconde embaixo das imensas costas trabalhadas a pique em alcantis, pelo lado do Moab, o tranquilo Jordão e o mar Morto. Dali, a visão dos horizontes é um convite à meditação, fazendo que o homem se apequene ante a grandeza de Deus.

Naquela paisagem tudo são convites às coisas divinas.

Nesse plano de exuberante beleza, o Mestre elucida os companheiros fiéis, quanto à comunhão com o Pai. Já lhes falara diversas vezes sobre a necessidade da oração e em muitas ocasiões deles se apartara para o silêncio da prece. Ensimesmado, frequentemente buscava a soledade para a ligação com Deus, através desse ministério ardente e apaixonado.

❦

Os livros da fé ancestral, todos eles, reportam-se à exaltação do Senhor, mediante o "abrir a boca" da alma e falar aos divinos ouvidos.

Aquela será a última primavera que passarão juntos. Os colóquios, as lições serão interrompidos. Ele o sabe. Ministra as últimas instruções. O cordeiro inocente logo mais deverá marchar na direção do matadouro. Quanto há, no entanto, ainda, a dizer! São "crianças espirituais" aqueles companheiros, bulhentos e sem a noção exata do que lhes será pedido.

O tempo urge!

As Suas vigílias são maiores, e Seus solilóquios, mais demorados.

❦

Retornava desses colóquios, e a placidez da face denotava a vitalidade haurida no intercâmbio com o Pai...

Os discípulos aguardam-nO com carinho, ansiedade e inquirem-nO quanto à melhor forma de orar, como dizer todos os ditos da alma Àquele que é a Vida e sabe das necessidades de cada um em particular e de todos simultaneamente...

Havia, sim, em todos, o desejo veemente de aprender com o Rabi – que tantas lições lhes dispensara antes com invulgar sabedoria! – a mais eficiente das orações. Inquiriam, porém: – *Se Deus nos conhece e sabe o de que temos maior urgência, por que se há de lh'O rogar? Como fazê-lo, então?*

– *Ensina-nos a orar!* – pediu um dos discípulos, amigo devotado.

Seus olhos estavam incendiados de luz e nele havia aquela confiança pura da criança que se entrega em total doação e aguarda em tranquilidade enobrecida.

O Mestre relanceou o olhar pelas faces expectantes daqueles que O buscavam seguir e desejavam adquirir forças para, no futuro, se entregarem inteiramente ao Evangelho nascente; depois de sentir as ânsias que através dos tempos estrugiriam nos continuadores da Sua Doutrina, pelos caminhos do futuro, sintetizou as necessidades humanas em sete versos, os mais simples e harmoniosos que os humanos ouvidos jamais escutaram, proferindo a *Oração Dominical.*

As frases melódicas cantaram delicadas através dos Seus lábios, como se um coral angélico ao longe modulasse um cantochão de incomparável melodia, acompanhando suavemente.

Uma invocação:

Pai Nosso, que estás nos Céus...[3]

---

3. Conquanto as divergências entre os textos de Mateus (6:9-15) e Lucas (11:1-4) preferimos as anotações do primeiro, embora aquele situasse a preciosa oração, em continuidade ao Sermão do Monte. Assim o fazemos, considerando a métrica e o ritmo que se observam nas narrações das línguas semitas e por registrar a omissão de todo um verso nas anotações de Lucas. Outrossim, tomamos como lugar da ocorrência as

Glorificação d'Aquele que é a *Vida da vida*, causa do existir, *Natureza da natureza – Nosso Pai!*

Três desejos do ser na direção da Vida, após a referência sublime ao Doador de Bênçãos:

Santificado seja o Teu Nome.

Venha a nós o Teu Reino.

Seja feita a Tua vontade, na Terra como no Céu.

Eloquentes expressões de reconhecimento ao Altíssimo; humildade e submissão da alma que ora e se subordina às inexauríveis fontes da Mercê Excelsa; entrega total, em confiança ilimitada. Exaltação do Pai nas dimensões imensuráveis do Universo; respeito à grandeza da Sua Criação, através da alta consideração ao Seu Nome; resignação atual diante das Suas determinações divinas e divina presciência.

Canto de amor e abnegação!

Três rogativas, em que o homem compreende a própria pequenez e se levanta, súplice, confiante, porém, em que lhe não será negado nada daquilo que solicita:

O pão nosso de cada dia dá-nos hoje.

Perdoa-nos as nossas dívidas, assim como perdoamos aos nossos devedores.

Não nos deixes cair em tentação, mas livra-nos de todo o mal.

A base da manutenção do corpo é o alimento sadio, diário, equilibrado, tanto quanto a vitalidade do Espírito é a sintonia com as energias transcendentes – *dá-nos hoje!*

---

circunvizinhanças da aldeia de Ephrém ou Efraim ao invés do Monte das Oliveiras, conforme situam diversos exegetas e historiadores escriturísticos (nota da autora espiritual).

Sustento para a matéria e força para o Espírito, de modo a prosseguir no roteiro de redenção, no qual exercita as experiências evolutivas.

Reconhecimento dos erros, equívocos e danos causados a si mesmo e ao próximo – *perdoa-nos!* –, ensejando reparação, através da oportunidade de refazer e recomeçar sem desânimo, superando-se e ajudando aos que nos são vítimas – *como perdoamos aos que nos devem!*... Forças para as fraquezas, em forma de misericórdia de acréscimo, multiplicando as construções das células e das energias espirituais; reconhecimento das incontáveis fragilidades que a cada instante nos sitiam e nos surpreendem – *livra-nos de todo o mal!*

❦

A musicalidade sublime canta em <u>balada</u> formosa na pauta da Natureza, conduzida pelo vento.

A mais singela, a mais completa oração jamais enunciada.

Há emoções nos Espíritos que reconhecem a responsabilidade de conduzirem o sublime <u>legado</u> na direção do futuro.

A ponte intercâmbio entre os dois planos do mundo está lançada. Transitarão, agora, as forças mantenedoras do equilíbrio.

– *Pedi, e dar-se-vos-á!* – <u>exorou</u> o Pomicultor Divino.

– *Ensina-nos a orar!* – rogara o discípulo ansioso.

As <u>virações</u> daquela hora embalsamam o ar de mil odores sutis e constantes, e há festa nos corações.

O Reino de Deus está, agora, mais próximo. Divisam-se os seus limites e se vislumbram as suas construções...

Nenhum abismo, nenhum óbice. Vencidas as indecisões, os caminhos se abrem, convidativos, oferecendo o intercâmbio.

Aqueles homens que se levantarão logo mais da insignificância que os limita e irão avançar no rumo do Infinito, doravante, orando, estarão em comunhão permanente com o Pai.

O homem sobe ao Pai no Céu – o Pai desce ao homem na Terra.

Já não há um díptico.

Do solilóquio chega-se ao diálogo.

E do diálogo o Espírito sai refeito, num grande silêncio de paz e vitalidade, exaltando o Amor de Deus na potencialidade inexcedível da oração.

– *Ensina-nos a orar!*

– *Pai Nosso que estás nos Céus...*

6

E ELE DORMIA

Duas vezes por ano, janeiro-fevereiro e março-abril, sobre as águas do mar generoso da Galileia cintilam mais cedo as estrelas.[4]

Antes que o poente de ouro desapareça de todo, perpassam os suaves favônios enquanto coruscam os astros no firmamento.

Aquele mar cercado pelos povoados como conchas brancas nas bordas, piscoso e amado tornar-se-ia por todo o sempre o cenário incomparável que emolduraria a Sua pessoa na epopeia das Boas-novas.

Ali, nas claras manhãs ou nos entardeceres festivos, a Sua voz musicava com esperança os Espíritos enfraquecidos nas lutas e os alentava.

Milhares de homens, mulheres e crianças naquelas paragens receberam das Suas mãos sublimes as fartas concessões da saúde, as dadivosas bênçãos do reconforto.

---

4. Mateus, 8:23 a 27; Marcos, 4:35 a 41; Lucas, 8:22 a 25 (nota da autora espiritual).

Seus lábios se entreabrindo traçaram as inconfundíveis diretrizes da legislação do amor – o fundamento essencial do Seu Messianato!

Mutilados do corpo e da alma, atormentados na forma da essência, recorreram vezes incontáveis ao Seu concurso e receberam o auxílio lenificador de que careciam. Nas águas plácidas e nas areias encharcadas, estavam sempre ao alcance os barcos para as jornadas às outras terras, ou para poder evadir-se, quando a insaciável avidez do povo teimava por tocá-lO, na ânsia incontida de recolher mais auxílio e incessantes socorros...

❧

Nos meses de *tishrei* e *nissan*,[5] aquelas águas normalmente serenas, quase sempre mar-espelho, agitam-se de <u>inopino</u>, crescendo suas vagas a alturas desmedidas, sacudidas por ventos inesperados, tormentosos.

Nesses períodos, os pescadores cuidam de não se adentrar pelas águas traiçoeiras entre o meio-dia e a meia-noite, a fim de se pouparem às surpresas das arremetidas tempestuosas.

A mensagem alcançara as fronteiras adimensionais das almas, alastrando-se pelos países dos homens. De toda parte acorriam os necessitados de todo <u>jaez</u> a buscarem o Seu concurso.

À hora <u>undécima</u>, o céu apresenta-se <u>fulgurante</u>, e as águas tranquilas balouçam suavemente tocadas por ventos leves e cantantes.

– *Saiamos daqui* – diz Jesus. – *Os barcos estão prontos?*

---

5. Setembro-outubro, março-abril. Outros historiadores informam que a tempestade ocorreu no mês de dezembro. Preferimos situá-la em outubro de 28 (nota da autora espiritual).

– *Sim, Rabi* – retruca Simão.

– *Devemos atingir a outra margem antes da alvorada* – elucida o Amigo Divino.

– *Mas neste período* – relata o velho pescador – *as tempestades sopram de surpresa e colhem os <u>incautos</u>, imprevistamente, ameaçando-lhes as vidas.*

– *Não temamos as coisas que <u>promanam</u> de Nosso Pai* – esclarece Jesus. – *Estou <u>extenuado</u>. Saiamos daqui.*

Os barcos deslizam sobre as cristas das ondas eriçadas a arrebentar-se em renda de espumas.

O Rabi toma de um travesseiro e, na popa da barca em que seguem os irmãos Boanerges – João e Tiago –, procura repouso.

A brisa amena e o ar transparente parecem confraternizar com os astros em festa de prata salpicante no alto.

Ao longe ficam as praias, e Cafarnaum tem os olhos acesos, em <u>candeias</u> vermelhas e lâmpadas de barro fumegando...

As montanhas se recortam nas sombras em redor das águas no outro lado, desenhando múltiplas imagens <u>grotescas</u>.

As cidadezinhas da orla das águas rebrilham distantes com as suas luzes festivas, e de longe chegam canções trazidas pelas vagas...

O mestre dorme em plácida serenidade.

Os vultos dos companheiros aparecem e se recortam na noite, próximos, nos outros barcos.

Os remos cantam nas águas, e os lemes estão seguros com vigor.

Há uma inocente alegria, conquanto algumas <u>mesclas</u> de preocupação.

Judas exclama:

— *Não será uma temeridade esta viagem?*

— *O Rabi está conosco, portanto, não há problemas* — redargui João.

— *Simão, porém, sabe dos perigos, neste período* — investe o Iscariotes.

— *De fato, se formos colhidos por um vendaval* — obtempera Simão —, *nossas vidas estarão ameaçadas.*

— *Mas Jesus está conosco* — insiste André.

— *No entanto, dorme* — chasquina Judas —, *enquanto deveria vigiar; isto, para ser fiel às Suas próprias palavras...*

— *Não temamos! Confiemos!* — conclama João. — *A noite está serena, e o Pai vela por nós.*

— *Contudo, é perigoso* — retruca, mais uma vez, a inquietação de Judas.

— *Rememos* — propõe Pedro, na condição de timoneiro.

As terras da Decápole estão à vista, desenhadas nas sombras à frente.

— *O dia fora exaustivo* — relaciona o jovem Boanerges. — *O Mestre atendeu a gentes de várias partes que levarão, agora, as notícias.*

Seus olhos fulguraram de alegria.

— *Eu vi um cego abrir os olhos* — relata, com palavras medidas, Simão bar Jonas —, *e as lágrimas cristalinas diziam da emoção incomparável daquele beneficiado.*

— *E o leproso?* — interroga Tiago. — *Nauseante, estava recurvado e exsudava putrefação. Cambaleando e rouquenho, acercou-se do Mestre. O olhar que o Rabi depositou sobre ele comoveu-me. Vi a palidez no Seu rosto e uma indescritível tristeza se Lhe desenhou na face. Tocou-o e logo as carnes começaram a agitar-se, a transformar-se todo ele* *ante a minha admiração... Quando o homem saiu <u>exultante</u>, interroguei o Mestre:*

— Por que, Senhor?

— Por ser enfermo o seu Espírito <u>calceta</u> e leviano — respondeu, acrescentando —, *que lhe não aconteça nada pior!*

— Pior do que a lepra? — indaguei.

— Sim — redarguiu —, *a perda da Vida espiritual... —* e seguiu adiante.

— Olhem as nuvens! — gritou Judas, deixando transparecer um assomo de pavor.

Repentinamente as estrelas desaparecem sob nuvens escuras, <u>borrascosas</u>. Sopraram ventos inesperados de várias direções, e o pânico tomou vulto.

Os barcos oscilam nas águas a crescerem.

Trovões espoucam após relâmpagos ligeiros.

No célere clarão, pode-se ver o medo estampado nos homens receosos...

— E Ele dorme! — exclama André.

— Dorme enquanto perecemos! — grita Judas.

— Confiemos! — insiste João.

— O barco não suportará a <u>borrasca</u> — relata Simão.

Cai a tempestade. As forças em desgoverno sacodem o mar, e o tumulto domina a paisagem.

Sombras e desgraça em algaravia de horror. Lutam os <u>titãs</u> da Natureza.

<u>Adernam</u> as embarcações, e os viajantes se <u>aparvalham</u>.

— O Mestre dorme, Deus meu, e nós... — desespera-se Judas. *— Acordem-nO!*

— Mestre, Mestre! — chama João, receoso e trêmulo.

— Pereceremos, se não nos salvares.

– *Se não nos salvares?* – repete, temeroso e revoltado, Judas. – *Terá que nos salvar. A ideia da viagem perigosa foi Ele quem a teve.*

<u>Brame</u> o mar, e <u>ululam</u> os ventos.

– *Que tendes?* – indaga, sereno, o Rabi.

– *Perecemos, Amigo!* – explica, tímido, o amado... Ele se ergue, abre os braços.

O relâmpago veste-O de claridade de prata e ouro, emoldurando-O, num <u>átimo</u>.

– *Calai! Emudecei!*

A voz supera a gargalhada das forças <u>desconexas</u> da Natureza.

– *Aquietai!*

O brado arrebenta-se nos longes das praias.

Os ventos <u>amainam</u>, e as águas <u>desencrespam-se</u>.

As estrelas olham com lampejos argênteos, e a serenidade <u>bonançosa</u> veste novamente a paisagem.

Os sorrisos bailam nos lábios de todos, e nova tranquilidade povoa as barcas, que deslizam cantando, ao cortarem as águas, agora calmas.

A tentação dissera há pouco por aquelas bocas:

– *Não te importas que pereçamos?* – quando indagara Simão, traduzindo as dúvidas gerais.

No entanto, Ele ali estava.

O tormento interior começou a crescer naqueles Espíritos tímidos. E se interrogavam: – *Quem é este que até o vento e o mar Lhe obedecem?* – e, todavia, viviam com Ele, mas não O conheciam...

Pelo amanhecer, os barcos alcançaram as praias e as encostas de Gerasa, na Decápole.

Recordando a tempestade do Mar da Galileia, merece que examinemos o mar da nossa alma e a tormenta das paixões que nos açoitam com frequência inesperada, intempestivamente, enquanto o Cristo, que deveríamos trazer internamente, jaz adormecido sem que as nossas ações O despertem.

Era o mês de *tishrei*, à hora undécima, e no mar calmo, de repente, espoucou a tempestade, enquanto, plácido, Jesus dormia...

7

PÃO DA VIDA

— Saiamos daqui!

As notícias da morte de João chegaram enriquecidas de detalhes...

Jesus tinha necessidade de orar e demorar-se em soledade com o Pai.

A mensagem, como grão de trigo feito luz, multiplicava-se em farta sementeira por toda a parte.

Enfermos desenganados e Espíritos marcados por fundas desilusões apressavam-se a buscá-lO, depois de escutarem as narrativas empolgadas a Seu respeito. Acorriam sob os panos sombrios das aflições e, ansiosos, O envolviam com rogativas e lamentos lancinantes. Onde quer que se encontrasse, ao Seu lado estava a multidão de mutilados do corpo, da emoção, do Espírito...

Infatigável, Ele socorria com amor, abnegado, gentil. Suas mãos acionadas pela misericórdia e Seus lábios cantando ternura leniam todas as exulcerações e acenavam esperanças aos magotes numerosos, a se multiplicarem incessantemente.

– Saiamos daqui e atravessemos o mar, para a outra banda – falou o Senhor...[6]

❦

A missão dos Reformadores é toda aspereza; o sacerdócio do Amor se manifesta em rio de renúncias; a doação do Herói da Salvação se apresenta na oferenda da própria vida. Onde se encontram, aí estão as dores e as angústias, os desesperos e os desaires, rogando, aguardando, insaciáveis.

Era manhã de abril.

A primavera espocava escarlate nas pétalas das anêmonas em flor; o campo relvado em matizes brancos se salpicava de atrevidas madressilvas que sobressaíam e oscilavam no verde, ao sabor dos ventos leves, brincando ao rés do chão. O céu azul e transparente parecia confraternizar com o mar tranquilo, aberto aos barcos de velas coloridas. Havia mesmo uma sinfonia discreta na manhã formada das onomatopeias generosas da Natureza.

A barca vence as distâncias, deslizando com Simão no comando. A festa dos júbilos sorri nos doze que estão acompanhando o Rabi na barca, que entoa melodias nas vagas levemente encrespadas a se deixarem cortar...

A multidão, na praia, reflexiona, interroga e olha a barca móvel no mar azul.

Alguém sugere a direção que segue a embarcação que conduz o Amado fugitivo. Outrem opina que todos O sigam; surpreendê-lO-ão adiante. Há uma alegria espontânea. A mole humana, volumosa, se movimenta.

---

6. Mateus, 14:13 a 21; Marcos, 6:30 a 44; Lucas, 9:10 a 17; João, 6:1 a 14 (nota da autora espiritual).

Muitos chegaram de longe e não podem perder a oportunidade.

O rumo é Bethsaida-Julíade, distante pouco menos de dez quilômetros: uma agradável marcha!

O povo se divide em grupos e canta; vence as distâncias; há que encurtar os caminhos e toma a ponte que atravessa o Jordão.

O dia espia em luz branda o movimento, a agitação. Quando a barca alcança o ancoradouro da cidade, a massa colorida aguarda...

O Mestre contempla o <u>poviléu</u>.

Os olhos de todos n'Ele se cravam e falam sem palavras. Crianças choram, e enfermos lamentam. Alguns sorriem, outros apenas O fitam e se enternecem...

O Rabi se comove.

Todos Lhe requerem o concurso.

As aflições humanas, densas, suplicam Sua compaixão, e os homens são a Sua paixão.

Conquanto desejasse a soledade, ante os que sofrem, compadece-se, sorri compassivo, generoso. Ele compreende aquelas dores, sente-as quase n'alma.

Apontou um <u>cerro</u> próximo e o galgou. As criaturas O seguiram. Em volta, a vegetação rasteira com <u>giestas</u> em flor e a larga paisagem sob um céu transparente.

Ele começou a falar e o verbo claro cai nas almas, <u>blandicioso</u> e reconfortante, iluminando consciências, clarificando os íntimos problemas dos espíritos inquietos.

A palavra fluente cala, e a saúde lhe sai do amor na direção dos padecentes que se refazem em Sua presença, ao Seu contato.

O dia avança, e a hora está adiantada.

Carinhosamente os discípulos O advertem:

— *Despeçamos a multidão para que as pessoas se possam alimentar, pois este é um lugar distante, deserto...*

— *Dai-lhes vós de comer* — redarguiu o Mestre.

— *Senhor* — responderam os discípulos preocupados —, *mas todos têm fome e não poderíamos comprar-lhes pães suficientes. Se fôssemos adquirir repasto, necessitaríamos de uns duzentos dinheiros para os não deixar totalmente esfaimados... São muitos os que aqui estamos.*

— *Que temos?* — inquiriu, tranquilo, Jesus.

— *Nada ou quase nada. Segundo me informaram, um homem trouxe cinco pães de cevada e dois peixes. Mas, que são?...*

— *Trazei-os e mandai que o povo se sente em grupos.*

Ali estavam quase cinco mil ouvintes e aflitos que se recobravam com o Seu halo de transcendente poder.

Lá embaixo estava o mar em espelho colossal, no rumo do Oriente; mais ao longe, a cidade ribeirinha e branca em claros e verdes: Cafarnaum; ao sul, o casario de Magdala, avançando sobre as águas, nos <u>outeiros</u>; Tiberíade, entre bosques espessos em construções de pedras; Corazim, nas montanhas, encravada como uma rosa alvinitente.

As altas cordilheiras com a fímbria diluída no clarão do dia se destacam no cenário formoso.

Ergueu as mãos e orou em silêncio. O murmúrio do povo calou a boca da aflição.

Levemente pálido, pareceu transfigurar-se. Tomou os pães e os peixes, partiu-os e repartiu-os, ante os olhos atônitos dos mais próximos, e o alimento se foi repartindo e multiplicando como semente que, fecundada, se desdobra em espigas ricas sob o milagre da terra, fazendo toda uma seara...[7]

Todos se acercam alegremente, e cestos são apresentados; enchem-nos e repartem a <u>messe</u> com o povo que se nutre até o enfartamento...

E sobra o suficiente para encher mais <u>alcofas</u> com o que resta, excedente, abundoso.[8]

❦

– *Salve, Rei de Israel!* – grita uma voz.

– *Conduze-nos à conquista de Jerusalém!* – clama outra. – *Seguiremos contigo!*

Aleluias explodem, espontâneas. Os discípulos <u>exultam</u> e O envolvem com inexcedível carinho, excessiva emotividade, numa ternura sem palavras, <u>extravasante</u>.

Os olhos do Mestre se nublam. Ele se faz mais pálido, e os lábios tremem como se sofressem uma dor surda, forte.

O ar acolhe a exaltação da massa convulsionada pelo espetáculo de há pouco e <u>referta</u> de alimento pelos Seus poderes.

---

7. Vide *A Gênese*, de Allan Kardec, Capítulo XV, item 48 a 51. Optamos pelo estudo segundo a narração dos evangelistas (nota da autora espiritual).

8. Santo Agostinho, estudando a "Multiplicação dos pães", interrogava: "Quem é que alimenta o Universo, senão Aquele que, dum punhado de sementes, faz nascer as searas? O mesmo poder que, de alguns grãos, faz germinar o trigo, nas Suas mãos multiplica os pães. Porque o poder pertencia a Cristo, e esses cinco pães são como as sementes que não foram lançadas à terra, mas que foram multiplicadas por Aquele que fez até a própria terra" (nota da autora espiritual).

Na febricidade geral, os companheiros percebem-nO afastando-se, refugiando-se por detrás das <u>sebes</u>, nas sinuosidades das pedras.

Felipe O busca e chama:

– *Deixa-me a sós* – Ele fala, triste; é uma ordem e uma súplica.

A multidão se dispersa, os discípulos descem o monte. O ar está morno. Eles retornam à barca e volvem a Cafarnaum...

Lá O encontram.

❦

Eu sou o pão da Vida!

Este pão não mata a fome.

O pão que sou farta para todo o sempre...

Credes porque vos alimentastes.

O pão que vos possa dar nunca mais vos permitirá a fome.

Trabalhai não pela comida que perece, mas pela comida que permanece para a Vida eterna, a qual o Filho do Homem vos dará; porque sobre Ele o Pai, que é Deus, imprimiu Seu selo.

O pão que sou farta para todo o sempre...[9]

A obra de Deus é esta, que creiais Naquele que Ele enviou.

Eu sou o pão da Vida: O que vem a mim, de modo algum terá fome e o que crê em mim, nunca, jamais, terá sede.

Tudo o que o Pai me dá, virá a mim; e o que vem a mim, de modo nenhum o lançarei fora; porque eu desci

---

9. João, 6:27, 29, 35, 37 a 40 (nota da autora espiritual).

do Céu não para fazer a minha vontade, mas a vontade d'Aquele que me enviou.

A vontade d'Aquele que me enviou é esta: que eu nada perca de tudo o que Ele me tem dado...

Pois esta é a vontade de meu Pai: que todo o que vê o Filho do Homem e n'Ele crê tenha a vida...

Pão da Vida!

Este pão – o de todo dia – é transitório. Aquele que Ele dá é perene, suprime as necessidades, todas as necessidades...

O mundo O busca, e os homens O querem, mas desejam este pão transitório do monte, não aquele, o da vida, que também foi oferecido no monte.

Este, o do estômago, sim, pedem e querem hoje os homens.

Aquele, o da vida – talvez, depois; não, não sabem quando o querem os homens.

Era abril, em festa de primavera.

Ele é o Pão da Vida.

Em soledade com o Pai e a multidão.

A multidão na primavera e o Pão da Vida em todas as estações.

8

PESCADOR DE HOMENS

Aquele fim de maio estava ardente, fenômeno comum naquela quadra do ano. Logo o Astro-rei fazia incidir diretamente o seu facho de luz, e calor asfixiante atormentava, desafiador.

Ao longe, as encostas do Galaad, com revérberos de cobre luzido, vencendo as brumas secas, são muralhas naturais e altaneiras na paisagem fronteiriça ao lago.

Àquela hora, porém, soprava uma brisa amena, diluindo as névoas da madrugada, enquanto albatrozes e pelicanos se demoravam sobre as pedras negras que se adentram pelas águas piscosas com reflexo de prata.

O recorte curvo da praia estava apinhado pela mole ansiosa que acorrera, desde cedo, para ouvi-lO e rogar-Lhe a bênção do socorro para as múltiplas aflições de que se via possuída.

Nos dias anteriores, aquela voz ecoara pelas regiões ribeirinhas como um canto de esperança, em cuja melodia as concessões do Amor Divino eram moduladas em convites amenos que chegaram aos ouvidos dos homens sofredores.

Todos, portanto, necessitados e curiosos, desejavam vê-lO de perto e receberam o benefício que Suas mãos esparziam em abundância. A natureza estava calma, e as ansiedades vibravam nos corações.

❦

A noite fora longa e infrutífera. Eles estiveram por todas as horas a atirar as redes e recolhê-las vazias. As águas generosas também tinham seus caprichos. Aquela era uma noite de cansaço e desaire.

Sem luar, os barcos encalhavam nos bancos de areia, e todo o esforço daqueles homens ofegantes redundara improfícuo.

Retornavam aos penates no fim do dia, corpos moídos, olhos ardendo, modorrentos e mal-humorados...

O magote humano na praia parecia um borrão colorido e móvel, contrastando com as areias alvas.

Duas barcas foram deixadas vazias e as redes começaram a ser distendidas nas varas de sustentação da praia.

"Apertado pela multidão que ouvia a palavra de Deus..."[10]

Entrando numa delas, onde se encontrava Simão, o seu proprietário, falou um pouco mais ao povo expectante.

Seu verbo de luz clarificava as consciências inquietas e asserenava os espíritos em turbulência.

---

10. Lucas, 5:1 a 11 (nota da autora espiritual).

Sua silhueta de braços abertos, bordada de ouro no contraste com o dia fulgurante, parecia a de uma ave sublime que estivesse prestes a alçar voo, buscando rumos ignotos.

Havia n'Ele um poderoso magnetismo que Lhe acompanhava as palavras conhecidas e comuns, encadeadas como outrem jamais antes as enunciara, e que tocava com estranho e vigoroso poder balsamizante. Algumas penetravam como punhais; outras rociavam como perfume precioso de lavanda no ar...

Depois de haver consolado o povo que O buscara, voltou-se para Simão e disse:

– *Faze-te ao largo e lança as redes para a pesca.*

– *Mas retornamos de lá, agora, Senhor, sem nada conseguir!*

– *Não recalcitres, Simão.*

A barca desliza cantando sobre a crista das ondas levemente encrespadas, e, ao ritmo do vento que perpassa e inflama as velas coloridas, se distancia, avançando com celeridade.

– *Recolhe os panos* – ordena, gentil – *e atira as redes.*

– *Aí estivemos, Amigo* – elucida o pescador –, *e tentamos até o cansaço; nossos esforços redundaram inúteis. Porém, sob a Tua palavra, lançarei as redes.*

As redes imensas em forma de tarrafas circulares, com chumbos amarrados às pontas, abrem-se no ar em leque formoso e batem sobre as águas, mergulhando as malhas resistentes, desenroladas dos braços vigorosos que as sustinham. Logo puxadas, apresentam-se abarrotadas, quase arrebentando a tecedura forte.

O espanto, a algaravia e a explosão de júbilos dos homens espoucam em <u>alacridade</u> infantil.

A carga abundante é levantada para bordo, e a barca próxima é chamada aos gritos, em socorro...

﷽

Na popa, recortando o disco solar esfuziante, o Mestre contempla aqueles homens de alma infantil, crestados pelas lutas diárias, inundados de alegria, emocionados até o pranto.

– *Sim, amava-os* – medita o Desconhecido Mestre.

– *Viera ter com eles para que pudessem ascender ao Pai. Ser-lhe-ia necessário sofrer, dar-se em totalidade de oferenda, caminhar ao lado deles, assisti-los e perdoá-los sempre. Sim, amava-os!*

Longe, neles, estavam as ansiedades espirituais. Desprovidos, por enquanto, de entendimentos, se atiravam ávidos, ao dia a dia, na pesca, na conquista do pão... Seria necessário dilatar-lhes a percepção, ampliar-lhes os horizontes...

Simão ergueu os olhos úmidos e fitou-O.

Ouvira-O antes e O acompanhara desde Bèthabara, de volta de Jerusalém, mas não entendera tudo quanto Ele falara.

Explodindo de emoção inesperada, <u>baldoou</u> o homem do mar:

– *Retira-te de mim, Senhor, porque sou um homem pecador* – e <u>prorrompeu</u> em pranto espontâneo.

A confissão ingênua, a alma desnudada, o coração ardente falavam daquele timoneiro que amava o mar e nele encontrava a segurança e a vida.

O plâncton que chegara trazido pelas correntes subterrâneas do Jordão ali favorecia a piscosidade das águas, e ele conhecia aquelas correntezas e os *mistérios* do lago, que era seu berço e o amigo com quem confidenciava nas noites longas e doridas de soledade...

— *Aquele homem, no entanto, donde O conhecia?* — refletiu num átimo, vencido pela força daquela voz que ordenava sem impor e ninguém desconsiderava, e daquela face... — *Ele lhe parecia tão fraco e era tão forte! Não sendo um pescador, como soubera e pudera tanto?!*

— *Simão, não temas: de ora em diante serás pescador de homens.*

A mensagem ecoou na sua alma, em linguagem singular; pescador, sim, o era. "Pescador de homens!", que seria? Tranquilizou-se, porém.

Toda uma festa de sons dominou-o e ele fremiu ao peso de desconhecidas vibrações. Desejou recusar, dizer da sua pequenez e miserabilidade, mas não pôde fazê-lo. Imobilizado naquele momento que parecia uma *eternidade* – ausência do tempo e anulamento do espaço –, sentiu-se impossibilitado de cingi-lO ou postar-se-Lhe aos pés.

A garganta seca, estreitada, estrangulou-lhe a voz.

Chorou e, no íntimo, reflexionou: sabes o que fazes, Senhor!

❦

As notícias alcançam as praias.

Há uma revoada de inusitada alegria em todos os corações.

Novos grupos afluem. As carpas estremecem, ainda, em reflexos automáticos, e o contentamento se generaliza.

Pedro, João, Tiago e André, que participaram mais de perto do acontecimento, experimentam, todavia, desconhecido pressentimento, que os seguirá desde então... Não poderiam definir o que lhes passava. Relancearam o olhar em volta e encontraram o Rabi, afastado, que fitava aquele amado lago de Genesaré, enquanto o ar pesado do dia vitorioso abafava.

Pescador de homens!

Desde então, abandonaram tudo, mesmo o mar amigo, e avançaram na direção do porvir sob o Seu comando, e depois foram conduzidos por Simão a "pescar homens".

9

LUZ DO MUNDO

—S e é pecador, não sei. Uma coisa sei: eu era cego, e agora vejo.[11] A frase lhe escorreu dos lábios cantantes modulada nas vibrações dos sorrisos. E era um desafio. Respondendo à ardilosa indagação dos intérpretes da Lei, dos fariseus, superava qualquer astúcia com as soberanas argumentações da Verdade.

Aqueles olhos, até há pouco apagados, agora, transparentes e iluminados, viam. Não se acostumaram sequer ainda com a contemplação da paisagem: os detalhes se perdiam na exuberância de cores e na diversidade das formas. O Astro-rei, irisando com mil matizes, dantes jamais sonhados, fulgurava solto no céu claro, imenso, inimaginável para ele. A alegria de todas as coisas em festa num banquete deslumbrante para aquela visão que sofrera os longos, demorados anos de escuridão...

---

11. João, 9:1 a 41 (nota da autora espiritual).

Tudo em mensagem de encantamento. O homem, o ser humano, no entanto, lhe parecia muito triste naquele concerto de belezas indescritíveis: a folha, a flor, a gramínea verde, o <u>vetusto</u> arvoredo, a túnica marrom-esverdeada-escura dos montes altaneiros ao longe, a alegria da face das crianças e os pesados <u>crepes</u> invisíveis sobre o rosto dos homens.

Sim, fora um nado-cego.

Criado na cegueira do mundo, identificava todos os ruídos e as formas que seus dedos ágeis apalpavam, compondo modelos que a mente, no entanto, não podia conceber. A realidade penetrava-lhe, exigindo novas conceituações.

Passavam os anos e a sua dor se fixava nas carnes do desespero íntimo, como cravos de ira e mágoa.

A <u>escudela</u> de esmola nas mãos e a voz lamentosa em rogativa.

Aquele caminho entre a piscina do *Enviado* e o seu lar de pobreza, fizera-o e o refizera quantas vezes! A esperança se apagara de sua vida, anulando quase o sonho de felicidade... e vivia.

❦

A piscina de <u>Siloé</u> se tornara famosa desde os dias do profeta Isaías, que elogiara as suas águas. Aquelas linfas atravessavam grande distância, em canal rasgado abrupto na rocha viva, desde os tempos de Ezequias.

Há muito, infelizes e enfermos buscavam-lhe, esperançosos, o mergulho, guardando esperanças de <u>refazimento</u>.

As águas cantantes se renovavam, e as massas de enfermos se multiplicavam.

Aquele outubro estava já ardente, e o pó pairava no ar morno no dia sem ventos refrescantes.

As estradas estavam movimentadas, pois que as festas logo mais começariam em Jerusalém, dadivosas.

Ele deixara as paragens da querida Galileia para, transpondo as fronteiras, atingir a Judeia, onde sabia estarem reservadas muitas dores...

Os companheiros seguiam-nO animados, desejosos de penetrar-Lhe todas as lições e integralmente o ministério que, às vezes, lhes parecia complexo demais para as suas mentes desacostumadas a incursões mais profundas no raciocínio.

Deslumbravam-se sempre, logicavam raramente. O pão que dos Seus lábios caía na boca dos seus corações apresentava-se, em algumas circunstâncias, azedo, desagradável. Estar com Ele era vibrar de felicidade e sofrer de ansiedades incontroláveis. Ele era capaz de tudo, e o demonstrara vezes sem conta. No entanto, falava também do Pai, e das Suas dores, lutas e a paixão... A que paixão se referia, não O compreendiam.

Era sábado! A Judeia, à semelhança da Galileia – e talvez mais zelosa –, era ufana em manter as exigências da forma, da aparência. Guardar o dia de descanso era mais importante do que se guardar das paixões. Invariavelmente, o israelita, ali, era considerado pela maneira como observava o *"Dia do Senhor"* e, todavia, muitas conveniências podiam modificar o próprio Estatuto que se deveria cumprir à risca.

— *Mestre, quem pecou para que este homem nascesse cego? Ele ou seus pais?*

A interrogação dos companheiros se fundamentava.

As enfermidades graves são resgates de crimes que passaram sem punição, não corrigidos, ocultos...

Sabia-se que o homem o é como procedeu em vida anterior, e que cada um se faz o construtor do edifício da própria vida. Cada corpo, cada estado de emoção e de espírito, a felicidade ou a desdita são elaborações próprias, senão deste, de um avatar anterior. Logo, a interrogação oportuna.

O Mestre fitou o homem de olhos em trevas e se apiedou.

– *Nem ele, nem seus pais pecaram* – elucidou com eloquência o Amigo Divino. – *Mas isto se deu para que as obras de Deus nele sejam manifestadas.*

Os homens – crianças espirituais na maioria – desejam a fé que penetra pelos olhos e exigem fatos que não podem entender. O milagre – ou derrogação das Leis Naturais – os atrai pelo maravilhoso. Raros se aprofundam em descobrir fora da aparência a mecânica da sua execução. Era necessário, portanto, atender a esses homens, ingênuos que facilmente se fazem maus, ignorantes que se podem revelar bons.

Sem débitos, sem culpas, aquele homem por amor escolhera a provação da cegueira para que o seu Senhor pudesse ser conhecido, revelado, sem modificar as Leis da Justiça.

Há um estranho silêncio entre os que contemplam o cego e fitam o Galileu Sublime.

"Cuspiu sobre o pó" e fez uma singular pomada que aplicou nos olhos fechados do cego, e disse:

– *Vai lavar-te no tanque de Siloé.*

– *Lavei-me e comecei a enxergar* – narrou o homem aos que o investigavam, coléricos.

– *Conheces esse homem?*

– *Não.*

– *Onde se encontra agora?*

– *Não sei.*

– *Que te fez Ele?*

– *Já disse. Aquele homem, chamado Jesus, fez lodo, ungiu-me os olhos e disse-me: "Vai a Siloé e lava-te"; fui, lavei-me e fiquei vendo.*

– *E nasceste cego?*

– *Sim, todos aqui me conhecem. Uns diziam que era outrem, comigo parecido; não, sou eu mesmo.*

A ira espuma veneno, e a astúcia tece a rede das ciladas.

Os pais do ex-cego temeram e, tremendo, mandaram que o interrogassem outra vez.

– *Podemos expulsar-te e aos teus da <u>sinagoga</u>.*

– *Eu sei.*

– *Ele é um pecador, pois curou num sábado; não vem de Deus, porque desrespeita as Leis de Deus...*

– *Não sei, não sei. Se é um pecador, não sei. Uma coisa sei: eu era cego, e agora vejo.*

– *É necessário que façamos a obra do que me enviou, enquanto é dia; vem a noite, quando ninguém pode trabalhar. Estando eu no mundo, sou a luz do mundo.*

Aquele homem fora lançado fora.

Testemunhara a verdade. Preferira o abandono à mentira e o desamparo à ilusão. Era cego e agora via e *via* corretamente.

– *Crês tu no Filho do Homem?* – interrogou-lhe Jesus ao reencontrá-lo.

– *Quem é ele, Senhor, para que eu creia nele?*

– *Já o viste, e é ele quem fala contigo.*

– *Creio, Senhor.*[12]

– *Teus olhos veem o Esperado. Rejubila-te. Vês e compreendes.*

A Natureza parece cantar a música da sua alegria.

O Rabi se alegra também e fala:

– *Eu vim a este mundo para um juízo, a fim de que os que não veem, vejam; e os que veem se tornem cegos.*

Há duas cegueiras: a dos olhos do corpo e a do Espírito.

Ele se dirigiu aos Seus e lhes falou da Sua ligação com o Pai e da cegueira dos que, vendo, não enxergam, porque não distinguem as sombras da luz...

Ainda agora os *cegos* piores não distinguem.

– *Quem pecou?* – perguntam.

O espírito andarilho das estradas do Infinito, seguindo na direção do *Amanhã*, sofrendo em paz e paciência se recupera e <u>ressarce</u>.

Renascer e recomeçar a vida para se libertar.

A luz clareia e penetra, espancando as trevas.

Muitos preferem a ignorância para não carregar a luz da responsabilidade.

Jesus é a luz do mundo.

...Era um cego de nascença e, no entanto, viu.

---

12. Uma antiga lenda de Provence, na França, narra que o nado-cego curado seria mais tarde o Santo Restituto (nota da autora espiritual).

...Era outubro e junto ao Templo, próximo à piscina de Siloé, à luz do Sol ardente, Ele se fez a luz do mundo, desde então, até sempre.

Luz do mundo!

10

O LEGADO DA TOLERÂNCIA

A perene madrugada <u>inebriava</u> aquelas vidas.
Dias assinalados pela <u>apoteose</u> da esperança, inundados de amor, em que a <u>cornucópia</u> da misericórdia derramava bênçãos em abundância, constituíam uma quadra que jamais a Terra experimentara nos seus <u>fastos</u> passados ou voltaria a gozar no futuro...

A paisagem dos corações cada vez se multiplicava pela presença dos aflitos e angustiados que se atropelavam na expectativa de <u>fruir</u> os resultados felizes daqueles momentos que, talvez, fossem interrompidos logo mais...

As conjunturas da política dominante e <u>ignominiosa</u> do <u>usurpador</u> estrangeiro produziam sulcos de revolta no solo das almas, e os bajuladores armavam ciladas nas bocas <u>torpes</u> dos representantes da comunidade, procurando pôr a perder o Pomicultor Sublime.

Onde Ele surgia, à semelhança de radiosa luz, atraía necessitados do corpo e da alma. Suas sementes de amor eram espalhadas fartamente, em tentativas constantes de futura fecundação abençoada.

Os convidados ao colégio da fraternidade, que conviviam na Sua intimidade, armazenavam os grãos da vida, aprimorando a terra íntima do Espírito para fecundá-los oportunamente.

Não compreendiam, porém, em toda a magnitude a grandeza da Mensagem que Ele espalhava em fortuna farta.

Assim, repontavam ciúmes em forma de zelo exacerbado – queixas injustificáveis –, todas essas <u>bagatelas</u> da pequenez humana na planície das paixões, sem forças para superarem os óbices, galgando por fim o planalto da compreensão geral.

A Boa-nova seguia triunfalmente e muitos que dela se beneficiavam saíam a comunicar a outros *corações* o milagre da sua claridade lenificadora.

As narrações exaltadas competiam com os ódios que explodiam resultantes do despeito gratuito dos <u>comensais</u> da politicagem religiosa e da administração ingrata.

❦

– *Senhor, eis que encontramos um homem pelo caminho que curava em Teu nome, expulsando Espíritos infelizes* – revelou, <u>expedito</u>, João, retornando de pequena viagem.[13]

– *E que fizeste?* – inquiriu Jesus.

---

13. Marcos, 9:38 a 42 (nota da autora espiritual).

– *Repreendemo-lo* – protestou o discípulo inexperiente. – *Expusemos que ele não tinha o direito de usar o Teu nome, pois que não privava contigo, não formava no grupo dos nossos. E fi-lo defendendo os nossos objetivos, para que os propósitos de elevação em que nos empenhamos não se <u>entorpeçam</u> através de pessoas incapazes de imprimir à própria vida a excelência da lição que nos transmite.*

Brilhavam em júbilo os olhos do jovem companheiro, excessivamente zeloso quanto ao futuro do Evangelho nascente.

Jesus, porém, fitou-o com infinita bondade, <u>admoestando-o</u>, benigno:

– *Fizeste mal, pois todo aquele que não é contra nós é por nós.*

Se alguém em meu nome expulsa Espíritos maus, asserenando obsessos e acalmando obsessores, cultivando nas almas o pólen da saúde que se converte em pomar de tranquilidade, não poderá voltar-se contra nós, depois, <u>assacando</u> calúnias e no futuro erguendo-nos acusações. A palavra de amor é moeda de paz para aquisição do continente das almas.

E, desejando expressar de maneira inolvidável o significado da tolerância e da caridade, prosseguiu:

– *O servidor do Evangelho deve fiscalizar com sincera acuidade as nascentes íntimas dos sentimentos, de modo a <u>cercear</u> no começo os adversários cruéis, que são o egoísmo, o orgulho, a inveja e o ciúme com toda a corte de <u>nefandos</u> sequazes... Os inimigos de fora não conseguem atingir o homem, senão exteriormente, pois que só alcançam a forma, sem <u>lobrigarem</u> mudar a constituição intrínseca do ser. Vinculado ao ideal superior da vida a que se entrega, o discípulo sincero compreende os que dormem no amolecimento* *das paixões, desculpa os perseguidores e não receia que outros corações, também fascinados pela luz da verdade, desejem integrar-se no lídimo ideal da solidariedade a benefício de todos. Dia virá em que a Mensagem da Boa-nova se espalhará pelos múltiplos campos do mundo em formosa semeadura de abnegação, convocando multidões ao ministério excelso. Irmanados no ideal do serviço, todos aqueles que nos não combaterem ajudar-nos-ão, contribuindo eficientemente para a colheita dos resultados valiosos.*

Como se se alongasse pelos confins dos tempos, pressentindo as dores acerbas e as lutas árduas pela implantação do Reino de Deus entre os homens, o Mestre concluiu:

— *Irromperão em catadupas violentas os rios do sofrimento, de quando em quando, arrebentando represas e correndo destruidores com o objetivo de esmagar os que estejam à frente, em nome das paixões irrefreáveis, ou em caudais contínuas, ameaçando arrastar os que teimem em suportar-lhes o ímpeto... Eu estarei vigilante, porém, acima das vicissitudes, socorrendo os timoneiros da fé e recolhendo os náufragos...*

No entanto, as desagregações internas, as disputas intestinas pela supremacia de uns em detrimento de outros, as lutas pela herança, esgrimindo as armas nefastas das guerras surdas e as intrigas sutis, serão mais danosas do que as agressões que procedam do mundo contra o nosso ideal de amor...

Interliguem-se todos aqueles que sonham com a Imortalidade, os que me amam, afastando barreiras e derrubando obstáculos para que mais rapidamente se implantem as realidades do amor e do perdão no solo das vidas...

Ninguém se escandalize nunca, por encontrar fora da grei o mensageiro da saúde, o intermediário do bem, porque aparentemente estejam desvinculados das linhas conhecidas do serviço.

Meu Pai dispõe de recursos que nos escapam e como é o Autor de tudo e de todos, cumpra cada um irrestritamente com o seu dever, transferindo para Ele, o Senhor de todos nós, os resultados do nosso trabalho.

Silenciou, tranquilo, e uma aragem de confraternização penetrou melhor nos homens que O escutavam, no reduzido grupo da amizade, como se avaliassem as responsabilidades que lhes cabiam.

Em face do dever maior, a tolerância é medida de justo progresso, tradutora das conquistas realizadas pelo discípulo fiel e afervorado da Verdade, no serviço redentor.

11

MULTIDÃO DE SOFRIMENTOS

Sempre estava Jesus cercado pela multidão.

Entardecia...

A multidão representava as enfermidades e <u>mazelas</u> que Lhe eram conduzidas pelos magotes humanos, assinalados pela dor.

Em todos os tempos, o sofrimento é a cobrança do pretérito culposo dos atormentados em lapidação benéfica para a própria redenção, em clima de urgência.

A lepra, ingrata e <u>hedionda</u>, procede do Espírito que exterioriza a degenerescência dos tecidos sutis, <u>exsudando</u> as misérias íntimas na faina incessante da purificação. Assim, a cegueira e a surdez, a paralisia e a mudez, o câncer e tantos outros suplícios que expressam o limite imposto ao devedor na faculdade cujo uso foi mal aplicado, fazendo o ser calceta em si mesmo, carecente de imediata reparação.

79

A falta do órgão ou membro, a desarmonia da faculdade ou função representam sempre a cobrança que chega em forma de controle e educação, predispondo o ser para a liberdade.

E, como a dor tem sido a característica da vida humana, Jesus estava sempre cercado pela multidão. Eram os atormentados de ontem, ora envergando as marcas e manchas do passado, na condição de atormentados atuais, buscando, sequiosos, a água lustral do Evangelho do Reino, para lavarem as imundícies da imperfeição.

Cercado pela multidão, Ele abria os braços e descerrava os lábios, socorrendo e falando...

A voz modulada em musicalidade divina derramava lições de vida em urgente profilaxia, de modo que todo aquele que pudesse recuperar-se não tornasse aos erros transatos, a fim de não se acumpliciar com o crime, do que decorrem sempre mais graves e danosos compromissos. E as mãos misericordiosas libertavam das amarras limitadas do padecimento, facultando agilidade e os meios de crescimento superior aos beneficiados.

A multidão buscava-O sempre ansiosa...

Dos Seus lábios recolhia pérolas em luz, gemas em claridade incomparável para iluminar a senda de percalços e pedrouços. E das Suas mãos recebia o vigor em dádivas de saúde, que renovavam as peças gastas e os implementos orgânicos em desconcerto, produzindo o refazimento e a paz.

Amava-O a multidão; ao menos necessitava d'Ele avidamente e O seguia.

Começava o ministério entre expectativas e ansiedades.

Quantas vezes Israel tivera outros profetas! Procediam de todos os rincões e se caracterizavam, não raro, pela severidade e aspereza dos conceitos que, semelhantes a látego em brasa punitiva, azorragavam com doestos e ameaçavam com longas e penosas correções...

Há pouco se escutara a voz do Batista e a sua figura austera derramava o verbo abrasador, conclamando ao arrependimento e ao aproveitamento da hora, antes que se fizesse tarde.

Ele, porém, Aquele suave Rabi, era a mansuetude e a abnegação. Quando o semblante se Lhe fazia grave, a meiguice e a dor exteriorizavam todo o Seu amor e ao mesmo tempo refletiam as Suas esperanças, penetrando no porvir, em cujo curso incessante dos tempos o homem encontraria a paz...

Era o mês de *nissan*. A tarde caía suave e calma.

A notícia da cura da sogra de Simão, cuja febre repreendida pelos Seus lábios se evadira, atraía a multidão dos necessitados.

Carreados por ventos brandos, aromas sutis balsamizavam a tarde em festa de luz.

A praia amiga, referta de esperanças, suspirando nos corações ansiosos dos homens, ali representava todos os tempos: o ontem e o amanhã da dor perseguindo a paz...

Ele aproximou-se e começou a curar.

Luz Divina em sombra densa, Sua aura reativava as forças fracas, recompondo os desgastes e desalinhos dos infelizes.

O espetáculo da alegria espontânea explodindo, comovia, e a reconstrução da saúde ante o olhar esgazeado de surpresa dos comensais do sofrimento, a rearticulação das faculdades psíquicas dos antes atormentados, os Espíritos imundos expulsos pelo Seu magnetismo fascinavam e, num crescendo, avolumavam-se as emoções à Sua volta...[14]

As vozes estremunhadas dos obsessores desligados das vítimas gritavam:

— *Tu és o filho de Deus!*

Ele, porém, sereno e pulcro, respondia:

— *Eu vos proíbo de falar. Afastai-vos daqui...*

No desabrochar natural das alegrias, uma pausa se fez espontânea durante o sublime repasto da esperança.

Ele, então, falou com eloquência e magnitude:

— *Todos os males promanam do Espírito. Tende tento!*

O Espírito é a fonte gentil e abundante em que nascem a enfermidade e a saúde, o destino e o porvir de cada ser, conforme se acumulam nas nascentes os atos que padronizam as futuras necessidades. Enquanto o homem não mergulhar na intimidade dos seus problemas para solucioná-los à luz da razão e do amor, não conseguirá o lenitivo da harmonia.

Sois o sal da Terra. O valor dele é mantido enquanto conserva o sabor.

Sois a luz da oportunidade, enquanto marchardes espargindo bênçãos e distribuindo esperanças.

Deus, Nosso Pai, é o Criador, mas o homem, ascendendo, é o autor da sua dita ou desgraça.

---

14. Lucas, 5:40-41 (nota da autora espiritual).

Inutilmente buscareis fora a saúde se não a mantiver-des retida no âmago do Espírito, cuja perda se transforma em incessante aflição e maior tormento.

A saúde, a seu turno, é oportunidade de evolução e de responsabilidade para com a vida.

Buscai antes o amor e fazei todo o bem possível, para vos conservardes em paz. O amor é a candeia acesa, e o bem é o combustível que a mantém.

Pacificai-vos para que vos conduzais em espírito de sabedoria, fazendo longos e proveitosos os vossos dias de júbilo na Terra e felizes, mais tarde, nos Céus.

Clara manhã. Sua presença apagava a noite, sugando-a com beijos de luminosidade libertadora. E por onde andava, lá estava a multidão aflita e Ele prosseguia, disseminando a saúde, por ser um excelente mensageiro da vida.

❦

Ao longe o Sol declinava, caindo além dos montes, adornando a paisagem de ouro fulgurante no ar, e todos, tocados pela Sua misericórdia, os antes aflitos, debanda-ram na direção do lar, deixando a meditar, em profundo recolhimento, sob o fulgor das primeiras estrelas, o Filho do Altíssimo...

12

EPHPHATHA – ABRE-TE!

Ecoava pelas serranias a bênção da cura produzida na mulher cananeia, qual raio de inesperada luz que atingisse demorada noite que dominava os habitantes de Tiro.

Em face do inusitado fenômeno, uma compreensão nova começou a dilatar o entendimento daquelas gentes ante o fato <u>irretorquível</u> da divina interferência, que a todos comovera.

Era, porém, mister que Ele conduzisse a mensagem por toda parte, pois que para isso viera.

Deixou, portanto, as alturas da montanha e começou a descer, buscando as paisagens queridas do lago como para refazer-se das demoradas fadigas.

Na longa jornada, fruíra com os amigos a necessária comunhão com o Alto. Todavia, deveria prosseguir no ministério sublime da sementeira da esperança.

Os tecidos gastos que se refaziam ao contato das Suas mãos voltariam a desgastar-se, pois que todos os homens marcham inexoravelmente para o túmulo. Por mais longos e demorados sejam os dias do ser na Terra, cada etapa reencarnatória é sempre breve período que faculta aprendizagem, mas não realiza todo o trabalho de sublimação num só lance. Imprescindível, portanto, conceder aos homens os instrumentos de libertação definitiva das amarras infelizes para facultar a ascensão dos candidatos em experiências necessárias quão dolorosas.

Por essa razão, a palavra de vida tinha regime de urgência, por transformar-se em fonte de incomparáveis benefícios, de cujas consequências o homem galgaria os degraus superiores, na busca da felicidade e da paz.

Vivendo entre os homens, permitia-se o Mestre sentimentos que O nivelavam aos companheiros, de modo a fazer-se um igual, conquanto a Sua elevação incomparável de Sublime Guia e Benfeitor de todos.

Cercava-se dos amigos e ofertava-lhes os tesouros incalculáveis da esperança na Vida espiritual, lenindo-lhes todas as aflições e enxugando-lhes os suores pesados com o lenço da ternura e os panos da amizade pura.

Atendia às rogativas das mães aflitas ante os esquifes dos filhos adormecidos em catalepsia profunda; auscultava os sentimentos de dor e de angústia, tentando diminuir a mágoa e o medo; acudia à solicitação infantil; dialogava com os comensais da usura e da delação, observando-lhes os abismos íntimos entulhados de treva; remendava corpos dilacerados, abrindo olhos e ouvidos, desvinculando das criaturas os Espíritos imundos, mas tudo isso não era o essencial...

Sua compaixão socorria, consoladora, as mazelas humanas a fim de sustentar os lutadores e aflitos, não obstante cuidasse de que cada um dos beneficiados não voltasse aos erros, de modo a se defenderem de males muito maiores.

Penetrar nas paisagens das almas e clarificá-las; arrancá-las do porto do ódio e das algemas do orgulho; quebrar todos os grilhões com o pretérito culposo e fazer brilhar a luz da confiança nova – eis o ministério maior a que Ele dava o Seu mais expressivo carinho, albergando nos horizontes infinitos do Seu verbo de luz as Humanidades dos tempos porvindouros...

Os homens, porém, mergulhados no corpo de névoa, esquecidos das visões santificantes das Esferas espirituais, atormentam-se e debatem-se pela conquista do maravilhoso, do deslumbrante, a fim de poderem avançar, embora claudicantes, no rumo da legítima aspiração.

E por isso o Mestre socorria as necessidades das multidões que O seguiam e buscavam, ávidas de novos *milagres...*

Além do lago, estavam as terras da Gaulonítida e da Decápole, coroando os montes rasgados abruptamente sobre as águas...

Aqueles sítios que se caracterizavam pelo orgulho da cultura helenista e eram irrigados pelo politeísmo, recusavam tudo que procedia de Israel, em velhas e demoradas rixas, particularmente quando originados da Galileia, que eram terras de pastores, pescadores, lavradores, gentes simples e humildes...

O Mestre, todavia, experimentava a necessidade de levar a todas as terras ao alcance de Suas jornadas o verbo divino e reconfortante.

Como, porém, as notícias dos Seus prodígios já atingissem aquelas regiões, aglomeraram-se curiosos que O identificaram e de inopino uma multidão se adensou à Sua volta.

Como as enfermidades são a resultante dos desregramentos humanos e estes se encontrem por toda parte, ali, diante das mãos, os limitados e infelizes formavam compacto grupo, ansioso, cheio de esperanças...

Nas suas almas as interrogações íntimas inquiriam quanto às possibilidades do Galileu, e cantando expectativas acercavam-se ávidos, buscando o aguardado *milagre* libertador de fora, pois o verdadeiro fenômeno da libertação, que procede de dentro, sempre fica à margem do interesse coletivo.

Diante d'Ele, exaltam-se os desejos superiores. A Sua paz irradiante transforma-se, nos que O cercam, em festa de alegria, e a Sua luz ignota penetra dulcificando, de modo a que singular e <u>insólita</u> serenidade de todos se aposse, tranquilizante.

Nesse clima que visita aqueles que ali ora O recebem, alguém, em nome do desejo de todos, antes de qualquer <u>delonga</u>, antecipando a que os Seus lábios entoem o hino do despertamento de consciências, toma de um atormentado, de todos conhecido, um surdo e gago, e apresenta-o a Ele, rogando, em dúvida, Sua intervenção.[15]

O homem, que personifica a representação das chagas humanas de todos os tempos, deseja e duvida, anseia e teme, quer e não compreende, deixando-se arrastar <u>inerme</u> pela curiosidade geral.

---

15. Marcos, 7:31 a 37 (nota da autora espiritual).

Comovido ante o paciente irresponsável, cobaia ignorante da mole humana, que testa a Sua grandeza e o Seu poder, toma-o pela mão e afasta-se...

O homem segue-O tocado pelo estranho magnetismo que se irradia do Mestre. Sente-se como jamais outrora experimentara sensação igual, e acompanha quase em júbilo o incomparável Estranho, entregando-se-Lhe tranquilamente, agora em totalidade de confiança.

...A sós, o Amigo ergue os olhos aos Céus, põe os Seus dedos nos ouvidos do enfermo e toca-lhe a língua.

– *Ephphatha* – diz o Rabi. – *Abre-te!*

Desconhecida energia vitaliza aquele ser alquebrado, vencido, e ele brilha pelos olhos em fulguração de felicidade.

Fala, ouve e toda uma sinfonia canta no seu Espírito, fazendo-o vibrar.

– *Não o digas a ninguém* – ordena o Médico Divino.

...Mas o homem, dali saindo, narra aos ouvintes deslumbrados a cura de que fora objeto.

❦

Considerando a moderna fenomenologia mediúnica – antiga na forma, pois que de todos os tempos, e hodierna pelos ensinamentos por ela hauridos –, os mesmos interesses perturbam as atuais multidões, como no passado perturbaram aquelas que acompanhavam Jesus.

E ainda hoje, conquanto ouçam a Verdade, demoram-se de entendimento <u>tardo</u>, quais se fossem surdos e, embora falem, gaguejam diante dos compromissos superiores, demorando lamentavelmente na mesma odienta <u>pachorra</u> a que se acostumaram, rogando, porém, novidades, o *sobrenatural*, o *maravilhoso*, para prosseguirem no reino encantado da ilusão.

...E Ele, erguendo os olhos, proferiu: *Ephphatha!*

O surdo e gago, reconhecido, saiu a narrar o de que fora instrumento, iniciando de logo a própria, indispensável renovação.

13

ATIRE A PRIMEIRA PEDRA

A pedrejar!
Transcorreram as *Festas dos Tabernáculos* e as gentes retornavam às cidades, aos povoados, aos campos, às atividades diárias. Aqueles dias foram de júbilos e exaltação, nos quais a alma de Israel se rejuvenescera, tomada do entusiasmo festivo que irrompera em Jerusalém naquela ocasião. As comemorações evocativas dos dias passados, no deserto, sob tendas, após a saída do Egito, significavam a vitória do povo sobre o estigma do cativeiro e das rudes provações.

Aquela fora uma ceifa dadivosa.

Os peregrinos vinham de toda parte confundir os seres nos sorrisos generalizados, e a capital se transformava na Casa de todos.

Naqueles dias de outubro já se conhecia a estranha e poderosa voz do Cantor Diferente, delimitando as novas fronteiras do Reino de Deus. As multidões esfaimadas ouviam aquela Palavra e se entusiasmavam, acompanhando o singular Peregrino.

A fome de pão se misturava à necessidade da paz, e as massas angustiadas, especialmente naquele período, aguardavam o Messias. Havia sinais comprobatórios da Sua vinda. Muitos foram, pressurosos, à *Casa da Passagem* para escutar, no vau do Jordão, o Batista. Ele, no entanto, afirmara e todos repetiam: – *Eu sou apenas o preparador dos caminhos, para ele passar... aquele que segue primeiro, à frente, endireitando a passagem...*

E de fato ele passara deixando um apelo veemente para a consciência dos homens: o do arrependimento de todos os erros, com o consequente nascimento do *homem novo* sobre os escombros do *homem velho.*

Herodes, ao decapitá-lo, penetrou em funda amargura, no entanto, o povo que lhe conhecia a vida atribulada e a conduta adulterina comentava, mordaz, sobre as consequências do seu crime e os lastimáveis resultados que adviriam no futuro.

A Voz, porém, se fizera mais forte, surpreendentemente, após a morte de João.

Paralíticos e cegos, leprosos e meretrizes, pescadores e a grande plebe a ouviam... Homens representativos dentre os doutores e os levitas a escutavam e, conquanto se ressentissem das duras verdades que ela enunciava, não conseguiam condições para silenciá-la, reconhecendo-a autêntica.

Expectativas felizes pareciam dominar todo o Israel, e os sonhos de liberdade longamente acalentados voltavam a interessar às paixões dos sôfregos corações humanos.

Preconizava um Reino e ensinava onde repousavam as suas primeiras balizas, já fincadas no solo dos Espíritos. Todavia, quando se fitavam os olhos transparentes Daquele que projetava a voz da esperança, identificavam-se neles a melancolia e a poesia latentes que esparziam em farta messe.

Ele viera a Jerusalém para participar das festas, conhecer o povo mais intimamente, nas explosões coletivas, nas exaltações generalizadas. Muitos O viram e O escutaram antes, ensejando que a notícia da Sua presença comunicasse intensas emoções no povo e nos encarregados da Lei e da Religião. Onde surgia, todos O buscavam...

⚜

Ele estava próximo à porta Nicanor, do lado leste do Templo, chegando pelo caminho do Monte das Oliveiras, acompanhado dos discípulos.

Narra João, com emotividade e linguagem sucinta:

— *Os escribas e os fariseus trouxeram uma mulher que fora surpreendida em adultério e a apresentaram dizendo: Mestre, esta mulher foi apanhada em adultério. Moisés manda que se lapidem tais mulheres pelo apedrejamento. Tu, pois, que dizes?*[16]

Ele olhou de relance a mulher ultrajada e se abaixou, sensibilizado, e com o dedo começou a traçar garatujas no solo.[17]

A interrogação se demorava no ar, sem resposta.

---

16. João, 8:1 a 11.

17. Narram diversos intérpretes deste texto que, escrevendo no chão, o Senhor grafava a marca moral do erro de cada um que O observava, fazendo que recordasse sua própria imperfeição. Por exemplo: ladrão, adúltero, caluniador... (notas da autora espiritual).

Ele era o Embaixador da Verdade, porém, o Príncipe representativo da Paz e do Amor. Moisés significava a aspereza literal da Lei fria e dura. Roma retirara de Israel o direito sobre a vida dos seus filhos. Ninguém, senão o imperador ou seus representantes, poderia dispor da vida de qualquer pessoa.

O adultério era condenado pelo Decálogo de forma irreversível. Outras mulheres ali foram trazidas "pela gola dos vestidos" e apedrejadas, até consideradas mortas, noutros tempos...

Sua resposta, de qualquer natureza, criaria dificuldades.

Com as festas, havia nos corações uma cantilena de tolerância e benignidade, uma quase tendência ao perdão por parte do povo. Perdoá-la, no entanto, não seria conivir com o adultério, oferecendo o estímulo da aceitação tácita do nefasto crime?

– *Tu, que dizes?*

Havia ali corações em febre de desejos irreprimíveis, devastadores.

As mulheres caem porque encontram alçapões disfarçados no solo das ansiedades, nos quais são atiradas pela volúpia de homens que as hipnotizam com desejos infrenes. Atrás de cada organização feminina violada, há um companheiro oculto. Em cada adúltera se esconde um adúltero, comparsa do mesmo erro. Onde estaria aquele que a infelicitou, explorando a sua fraqueza e a abandonando?

A mulher, não obstante desvalorizada, não representava qualquer significação antes d'Ele. Só depois, quando Ele a ergueu do nada em que se encontrava é que passou a ocupar o devido lugar de rainha e santa no altar do amor dos corações...

– *Tu, que dizes?*

Ele não a fitou certamente para poupá-la da transparência da Sua visão.

– *Aquele que dentre vós estiver sem erro atire-lhe a primeira pedra...*

A frase Lhe fluiu dos lábios lentamente, com segurança, nitidez, serenidade.

Continuou a escrever no chão.

"Atire-lhe a primeira pedra."

A pedrada!

Mas todos ali estavam mergulhados em erros, <u>laborando</u> em terreno infeliz de preconceitos violados, de legislação desrespeitada, de <u>ultrajes</u> ocultos, de crimes que a consciência temia enfrentar diretamente.

Os que estivessem isentos de erros!... Quem estaria nessa condição?

A exuberância da luz solar incide sobre as personagens da cena que marcaria história na História...

"Em silêncio os circunstantes se afastaram, um a um, a começar dos mais velhos e a terminar pelos mais novos, ficando Jesus e a mulher."

Sim, os mais velhos trazem maior soma de <u>empeços</u> e problemas, remorsos e <u>azedumes</u>...

É fácil esmagar e exigir quando não se olham interiormente as paisagens do Espírito.

Adúlteras, porque há adúlteros que as malsinam.

O silêncio dominou o local em que se encontravam.

Só então Ele se levantou outra vez.

Fitando-a, agora, com doçura e compreendendo o seu drama íntimo, revisando aqueles dias passados, que foram de <u>dissipações</u>, falou, em melodia de ternura e disciplina:

— *Mulher, onde estão eles? Ninguém te condenou? Nem eu te condeno: vai e não tornes a pecar!*

❦

A autoridade do Rabi penetra o espírito da mulher infeliz e repudiada, e harmoniza o *país* da sua alma em guerra. Antes do erro quanta indecisão e incerteza, quanta frustração e receio atormentaram aquele ser!

Quanto flagelo interior experimenta todo aquele que se entrega ao erro, ao pecado!

"Não tornes a pecar!"

Todo o Evangelho se assenta nesta base: da compaixão e da misericórdia.

Ter oportunidade nova, mas não repetir o erro.

Cair e levantar-se.

Equivocar-se e retificar a atitude.

Nem <u>conivência</u> com a irresponsabilidade nem dureza com a correção.

Todos se podem enganar, no entanto, perseverar no engano é <u>acumpliciamento</u> com a ignorância e a leviandade.

O Reino de Deus, cantado por Jesus, é o amor em todas as latitudes e dimensões a alongar-se pela Terra inteira numa explosão de misericórdia e educação.

"Não tornes a pecar!"

"Isento de erro."

Apedrejar a própria consciência, lapidando-a, aprimorando o Espírito para galgar maior expressão de paz e ventura.

"...Atire a primeira pedra!"

14

ORDENA, SOMENTE

Os aquinhoados com a farta messe esparzida no monte, há poucos dias, divulgam as lições que escutaram da boca do nobre Rabi.

Pastores e mulheres humildes, agricultores dos platôs e das encostas de vinhedos, das margens do lago, das férteis planícies e do vale do Jordão, pescadores do mar amigo e homens dalém, que ali se encontravam, fizeram-se naturais mensageiros das promessas de ventura com que foram aquinhoados e das bases seguras do novo Reino, de que Ele se fazia o Messias Divino.

As *Boas-novas* se desdobravam confortadoras, e magotes de sofredores acorriam de toda parte para O ouvirem e receber das Suas mãos as migalhas de luz e as sementes da saúde que os sustentariam por muitos anos a fio.

As dádivas de amor caíam nos corações como <u>bagas</u> de orvalho precioso após noite abafada, em madrugada refazente.

Multidões O acompanhavam sensibilizadas, formando expressivos grupos, jubilosos após estarem com Ele. Ele, no entanto, não se alterava, permanecendo amigo, mas inatingível.

❦

O dia estuava de luz de ouro, quando Ele chegou a Cafarnaum. Amava aquela cidade onde a ternura dos corações singelos dava mostras de amor puro. Ali se refugiaria muitas vezes, encontrando a família ampliada na devoção das almas singelas que O cercavam de carinho.

Uma delegação de judeus respeitáveis, os anciães da cidade, aproximaram-se e Lhe disseram:

– *Senhor, o servo do* centurião *está enfermo e parece que* sucumbirá *se providência divina não o amparar...*[18]

Sabemos que podes fazer quanto queiras e Te pedimos ir à sua casa para recuperares o seu servidor, a quem ele muito ama.

Este é um bom centurião. Autoridade de respeito, não judeu, é temente a Deus e ajudou-nos, inclusive, a levantar a nossa sinagoga.

É amado por nossa gente... Nós Te rogamos, Senhor!

O olhar lúcido e transparente de Jesus derrama claridade envolvente sobre aqueles homens confiantes que O buscam.

Sim, já ouvira falar daquele centurião. Homem justo, sabia distribuir as leis do Império de que se fazia representante, e a vara da videira que ostentava – símbolo da

---

18. Lucas, 7:1 a 10; Mateus, 8:5 a 13 (nota da autora espiritual).

sua autoridade – nunca fora <u>deslustrada</u> por um mau proceder, no posto militar que ocupava com zelo e dedicação.

Passados alguns momentos de silêncio, em que o Mestre auscultava no recôndito do Seu ser o problema que se lhe apresentam, concorda:

– *Sim, irei até lá.*

O grupo que O cerca se entreolha com espontâneo contentamento e põe-se em marcha.

Há uma envolvente melodia no ar. É primavera, e a música do vento perfumado traz o <u>acre-doce</u> odor das algas espalhadas nas praias imensas...

❦

Os centuriões estarão mais de uma vez nos fastos da Boa-nova.

Após a crucificação, um deles, emocionado e convicto, confessou sem receios:

– *Com efeito, Ele era o filho de Deus!*

Soldado rude, que presenciara repetidas cenas daquelas, não se pôde furtar à apreciação do acontecimento nem conseguiu evadir-se ao contágio do <u>Inconsumpto</u> Amigo.

Tempos depois, Lucas anotará, nos Atos dos Apóstolos, a conversão do nobre Cornélio e dedicará emocionantes relatos à sua visão e ao seu encontro com Pedro. Mais tarde, quando Paulo é preso, marchando para o martírio em Roma, sensibiliza Júlio, o centurião que comanda a hoste que o conduz, tornando-se seu amigo...

A esperança da liberdade incondicional alcança aqueles que, no clima da força, impondo a dominação com o carro da guerra e com as armas da morte, sentem a asfixia do desespero e buscam a paz...

Penetra-lhes o odor da sublime paixão e renovam-se na atmosfera santificante do amor do Cristo.

Aquela *Presença* nunca ausente anestesia as paixões, produz alvorada estranha, grandiosa, n'alma.

❦

Nova embaixada chega aos passos do Mestre antes que Ele alcance a vila do apelante afervorado.

– *Não é necessário que te incomodes em ir até a sua casa* – mandou-te dizer o centurião...

E após uma pausa, aclararam:

– *Paulus reconhece a sua miserabilidade... A sua casa não é digna de Ti. Ele informa que é pecador e não se atreve a ter-Te nas sombras do seu reduto, a Ti que és o Sol do meio-dia...*

Resfolegam ansiosos os intermediários, para concluírem:

– *Ele é militar: comanda e é também comandado. Dirige, mas é subordinado; conhece de hierarquia... Ele diz ao seu subalterno: – "Vai ali!", e ele vai; "Vem aqui!", e ele vem; "Vai acolá!", e ele atende. Ora, Rabi, se Tu ordenares aos Teus subalternos, eles farão a Tua vontade, como os seus fazem as dele...*

❦

A emoção trabalha o grupo colhido de surpresa. Comumente os homens desejam ver para crer e, vendo, não creem; pedem para ouvir a fim de entenderem e, escutando, não compreendem; fatos e demonstrações exigem as grandes maiorias e, após tê-los, perdem-se no emaranhado das justificações inqualificáveis, das suspeitas calamitosas...

Há um silêncio que fala nos olhos e pelas bocas cerradas.

– *Nunca vi tão grande fé em Israel!...*

A frase, modulada com inflexão formosa nos Seus lábios, é uma exaltação ao estrangeiro e uma discreta censura aos *eleitos*.

Tão grande fé e tão elevada consideração!

– *Ide, voltai, dizei que eu quero que o seu servo sare, retome a saúde! Meus servidores já seguiram à frente: foram atender minha vontade. Dizei-lhe...*

As duas embaixadas levantaram o pó do caminho, no rumo da vivenda do chefe da Centúria, apressadamente.

– *Quero! Ordeno!*

O desejo continuava vibrando na acústica do momento.

Ainda não alcançaram o domicílio do romano e o ruído dos júbilos dizia a distância que o enfermo sarara e a felicidade retornara ao seu amo.

Todos aqueles que o viram, há pouco, a morrer, sorriem... e temem. Estava quase morto – agora vive!

– Eu sabia que bastaria que Ele ordenasse – repetia Paulus, comovido e confiante. – *Eu cria... eu creio...*

– *A quais servos se referira Paulus?* – interrogou Simão ao anoitecer daquele dia, sob a argêntea *gaze* do luar e o marulhar das ondas arrebentando espumas na praia.

– *Não sabes que sou Rei? Não tenho falado do Reino do Amor? Os meus servos são aqueles que fazem a vontade do meu Pai e referendam, atendendo a minha vontade, seguindo minhas ordens.*

Simão O fitou, cenho carregado, interrogativo.

E para que o esclarecimento se fizesse inolvidável, o Mestre arrematou:

– *Convoquei-te a pescar homens nas águas do mundo, Simão, faz pouco... Esta é a minha vontade... Serás, também, logo mais, meu servo e, assim, recolherás aqueles que como Paulus estiverem <u>soçobrando</u> em águas torvas e agitadas. Far-me-ás a vontade: pescarás homens!*

Simão compreendera. O rosto largo, requeimado, se abriu com ingênua alegria.

❦

Nas sombras espessas sorriem estrelas – divinos diamantes em fulguração no veludo da noite – e o grande silêncio repete a palavra de ordem:

– *Quero! Nunca vi igual a deste homem, uma fé como esta em Israel.*

O Reino se perdia já nas fronteiras adimensionais do infinito, começando a recolher os seus primeiros súditos, <u>vassalos</u> da felicidade, fora de Israel.

15

SEGUIR JESUS

Aqueles eram dias de intenso júbilo. Bênçãos de esperanças várias caíam abundantes sobre aqueles corações.

O grupo crescia consideravelmente. Mulheres abnegadas desdobravam cuidados, homens diligentes formulavam planos, e jovens fascinados pelas notícias comovedoras deixavam-se arrastar pelas expectativas enobrecedoras dos dias do futuro.

As jornadas se faziam entre alegres promessas de êxito, em emocionantes realizações.

Para trás ficavam os receios e as inquietações. Não obstante as intrigas políticas, os ciúmes religiosos, as problemáticas de cada Espírito, uma harmonia generalizada identificava os Espíritos reunidos em torno do Rabi arrebatador.

As Suas lições eram recebidas como concessões divinas que penetravam o âmago dos sentimentos e descortinavam panoramas dantes jamais sonhados. Quando marchavam pelos imensos caminhos na sementeira do amor, o ritmo de todos formava uma cantilena tocante que parecia ressoar além dos limites da terra que lhes era cara. Sentiam-se dominados por estranho e singular entusiasmo. A Sua presença dava-lhes desconhecido poder e todos pareciam dispostos a qualquer trabalho, a indistinta batalha que estrugisse nos diversos sítios.

Em conversas íntimas discutiam as razões por que os dominava o estranho magnetismo do Mestre. Conquanto o Seu amor constante e a ternura com que os recebia, não poucas vezes revelava-se austero, enérgico. Era um comandante que os conduzia com segurança, assumindo responsabilidade por todos os atos. Jamais negaceava a Verdade e nunca deixava perder a oportunidade de ensinar com a altissonante linguagem do exemplo.

Eram, pois, uma perene primavera de emoções a Sua presença e a Sua mensagem...

⁂

Caminhavam, e havia música leve no ar, ciciada pela ramagem do arvoredo suavemente sacudido pelo vento passante.

– *Mestre* – disse um deles, e a voz se embargou pela emoção que lhe estrugia no peito –, *eu seguirei contigo aonde quer que fores...*[19]

Houve um "*staccato*".

O envolvente olhar do Senhor caiu-lhe, enquanto respondia, e ele se fez ainda mais comovido.

– *As raposas têm covis, e as aves do céu têm seus ninhos, mas o Filho do Homem não tem onde reclinar a cabeça...*

---

19. Mateus, 8:19 a 22; Lucas, 9:57 a 62 (nota da autora espiritual).

O silêncio se fez espontâneo.

Seguir Jesus...

Bandoleiros dormem em palácios, e meretrizes se prostram sobre leitos de marfim e mogno, acolchoados de veludos e sedas...

Saltimbancos se fazem onzenários, e mentirosos triunfam na abastança.

Homicidas amparados pela habilidade de juízes e advogados infiéis à Justiça erguem opulentos apartamentos para o repouso, e *"cabos de guerra"*, condecorados pelo sangue dos irmãos, conseguem monumentais residências para viver.

A astúcia consegue o poder, e a impiedade produz a dominação...

...O Filho do Homem não tem uma pedra para reclinar a cabeça. Sua é a Casa Universal: ilimitada, adimensional.

Segui-lO é renunciar às vãs ambições da posse, das quiméricas aquisições que não transpõem o túmulo. Permutar os limites do que se toca pelo horizonte sem fim das realizações espirituais.

É ter sem deter.

Possuindo sem dominar.

Ter os céus como teto, num zimbório bordado de estrelas como gemas engastadas num dossel de insuperável beleza.

Não ter nada e tudo possuir. Sem amanhã, num perene hoje a perder-se na verticalidade do amor.

– *Seguir-Te-ei aonde quer que fores* – dissera o discípulo.

Ignorava, porém, que o termo terreno para Ele era uma cruz de hediondo horror, que se transformaria depois em florescente caminho de esperanças para os caminhantes do futuro.

~~~

Como a jornada se aureolava de Sol, e o cântico da natureza enchia de modulações o dia, um outro acercou-se do Mestre e, tomado de singular entusiasmo, após o silêncio extenuante que se fizera, abordou:

– *Sim, seguirei contigo* – sorriu algo <u>encabulado</u> e ao mesmo tempo jubiloso. – *Mas, deixa-me primeiro sepultar o meu pai, que está morto.*

Morte e vida.

Morrer é começar a viver e não raro viver é mergulhar nas sombras da morte...

Havia um cadáver à sua espera e a vida o chamava à ação.

O corpo querido que fora <u>progênie</u> do seu corpo, agora em jornada de desagregação molecular, e aquele Espírito igualmente amado, que o convoca para a perene Imortalidade.

O Mestre <u>estugou</u> o passo e fitou-o.

O olhar transparente, desnudando o <u>neófito</u>, reconfortava-o. Um oceano de paz em duas bagas de visão clarificadora.

– *Deixa aos mortos* – falou Ele com nobre energia – *o cuidado de enterrar os seus mortos.*

Começou a reflexionar enquanto O seguia.

Muitos se afadigam pelas coisas mortas.

Os corpos estão vibrando, mas são a *morte*, pois que passam. Carga para a marcha da evolução, projetam sombra e ensejam luz enquanto avançam. Depois... Há tantos agregados às sombras, aos interesses escusos: que estes sepultem os mortos!

Vivos para a Verdade.

Mortos para a vida.

Para viver era-lhe necessário trocar a pesada canga da ambição e da limitação do corpo para fruir as legítimas aspirações do ser.

— *Deixai aos mortos...*

❦

A cidade está à vista.

O grupo exulta de raro contentamento.

Novas experiências e novas lições são prenunciadas.

O Mestre exultante avança, e outro, quase tímido, fala, resfolegante:

— *Também eu seguirei contigo. Permite-me, porém, que me vá despedir dos meus familiares.*

Foi repentino. As palavras bordavam os lábios do Senhor como flores sublimes desabrochando em gleba rica e risonha.

— *Aquele que toma da charrua* — Ele falou docemente — *e olha para trás não é digno do Reino dos Céus...*

O campo aí está eriçado de abrolhos e rico de dificuldades esperando os instrumentos que lhe revolvam os empeços e os afastem.

A terra dos corações se apresenta vencida pela erva daninha da má vontade e do pessimismo.

O agricultor que sulca o solo e o deixa fitá-lo-á, mais tarde, infelicitado pela invasão de maior quantidade de plantas perniciosas. Os sulcos ressecam ao Sol ou se transformam em pântano sob chuva, ao abandono...

Tomar a charrua e avançar.

Indecisão é insegurança.

Medo significa ignorância.

Timidez representa experiência em começo.

Dubiedade traduz pusilanimidade.

Decisão firme e marcha segura no bem é manifestação de Espírito que se encontrou a si mesmo e sabe o que deseja, como quer e para que quer: não olha para trás!

– *Seguiremos contigo, Mestre* – disseram todos.

Apresentavam, porém, condicionais, justificavam indecisões.

Até hoje há os que pretendem seguir Jesus.

Avancemos, porém, seguindo além do pretender. Sigamos já!

16

O ESPERADO

A manhã esplendia em júbilos. Havia um festival de sol, cor em a Natureza. Pairava no leve ar do alvorecer o suave perfume das flores miúdas encravadas nas íngremes encostas do monte.

Há poucos minutos eles tiveram ali a visão excelsa e o contato com o Mundo transcendente.

Seu Rabi apresentara-se rutilante ao lado dos *pais da raça*. Na grandeza eloquente da cena, a figura do Mestre se apresentara revestida de incomparável beleza. Nunca antes Ele se reportara às Suas reais possibilidades...

Apagava-se na multidão, embora o destaque natural que O elevava além e acima de todos.

Já afirmara as Suas qualidades de Esperado, todavia, como crê-lo ou como duvidá-lo?! Os Seus atos atestavam a elevação e a procedência da estirpe a que pertencia... Israel, no entanto, apresentava profetas e emissários de Deus, frequentemente, e muitos deles não passavam de possessos ou desequilibrados que o ridículo enxotava das portas.

Quais, porém, n'Ele as características habituais do profeta clássico? Nem o olhar injetado, nem a boca contraída em _ricto_, nem cólera divina a extravasar na palavra _sibilina_ e dura. Nem ameaças, nem premonições.

Falava docemente, emoldurando Seus conceitos com as palavras simples de todas as bocas, faladas pela singeleza do povo, por todos entendidas.

Ensinava o amor como solução única para os graves problemas e isso O fazia diferente. Perseguido, e não poucas vezes humilhado, prosseguia dócil. Nunca _arrazoava_ contra e jamais se inquietava com as misérias dos homens. Misturava-se à turba e nunca se igualava...

Era comum e, no entanto, era especial.

Não amado e não compreendido, continuava _impertérrito_ no ministério do Seu amor, lecionando bondade e aguardando resultados que comprovassem nos ouvintes a excelência das Suas _assertivas_.

Compreendiam-nO agora e estavam deslumbrados. Suas carnes ainda estremeciam ante o impacto da emoção que os assaltara no colóquio da transfiguração que acabaram de ver.

Desciam a montanha, e a música do ar cantava uma balada agradável aos seus ouvidos, como a fixar-lhes na memória todas as realidades daquele momento.

❦

– _Não digais nada a ninguém_ – falou, inesperadamente, o Senhor – _do que acabais de presenciar, até que eu haja partido e ressurja dentre os mortos..._[20]

---

20. Mateus, 17:9 a 13 (nota da autora espiritual).

Não era a primeira vez que Ele se referia à partida e acenava com o próprio sacrifício para a consolidação dos Seus ensinos, e a informação lhes soava amarga, afligente... Preocupavam-se, pois que O amavam. O testemunho dado por Ele, por outro lado, exigir-lhes-ia igualmente o atestado de fidelidade, e receavam não estar preparados...

— *Rabi, não será necessário* — disse Simão — *que venha primeiro Elias, conforme ensinam os escribas, para que depois venha o Messias?*

A interrogação que mentalizavam de há algum tempo escorrera-lhe dos lábios naturalmente, naquele momento.

Elias fazia parte da vida espiritual de Israel.

Sua voz penetrava através dos tempos a alma do *povo eleito.* Aquele verbo flamívolo chibateara a idolatria no passado e a sua eloquência, inspirada por Deus, fizera-o anunciar o Esperado libertador, que um dia faria de Israel o povo superior da Terra.

Previra, também, o seu próprio retorno para apontar Aquele que seria o Embaixador Excelso de Deus. Esperava-se que Ele chegasse, fazia muito, mas Elias não retornara...

Todos recordavam as batalhas travadas contra os adoradores de Baal, nas margens do rio Kinzon, implantando no seio dos bárbaros *"o culto do Deus único".* Elias era, pois, o ponto de partida, a chave decifradora do grande enigma.

— *Sim* — respondeu Ele de olhar fulgurante. — *O Elias que havia de vir já veio, mas não o reconheceram, fazendo-o experimentar tudo quanto quiseram... Assim, também, padecerá o Filho do Homem...*

Repassaram mentalmente os últimos acontecimentos, os homens ilustres da pátria, mas não o identificavam. Amargavam duro cativeiro nas garras romanas, e a miséria lhes rondava as portas. Havia rebeliões afogadas em sangue e os espiões do dominador, aliciados a peso de ouro, estavam presentes em toda parte.

Por que não se escutava o profeta invectivando, encorajando o povo a arrojar dos ombros ao solo os pesados grilhões da escravidão? Necessitavam de quem os liderasse...

Enquanto conjecturavam, na mesma harmoniosa voz, Ele concluiu:

— *É este que aí está...*

Compreenderam que Ele se referira a João Batista.

Sim, João morrera, havia pouco, fora assassinado por Herodes e um manto de torpe tristeza ainda os envolvia, dominando os discípulos do Batista, agora dispersos.

Sim, ele bradara contra o crime e proclamara a chegada daquele de Quem ele não era digno de sacudir o pó das sandálias.

Fora sacrificado por não concordar com as altas arbitrariedades praticadas por Herodes, em pleno concubinato com a cunhada. Sua voz se erguera, vigorosa, contra o abuso do poder e anunciava a nova era.

Recorria à penitência, ao arrependimento, elucidando chegados os dias do Senhor...

...E era Elias!

Não havia dúvidas, agora que foram informados.

Por essa razão, Elias, reaparecera na visão de há pouco, em toda a sua grandeza.

João, morto, ressurgia em Elias espiritual, vivo.

Decifravam-se os enigmas e tornava-se mais fácil entender os desígnios do Alto.

Ele era, sem dúvida, na Sua magnitude, o Esperado.

Fitaram-nO quase a medo, e ante o olhar fulgurante de Jesus, a refletir a manhã clara, descendo a montanha do colóquio com a verdade, na direção dos homens, havia tal tranquilidade que eles se entreolharam em júbilos e seguiram para baixo, para as lutas humanas, retendo aqueles segredos até a hora própria de desvelá-los.

Elias chegara e partira...

Começava, agora, o Reino de Jesus, em sementes de luz e amor atiradas na direção do mundo todo e da Humanidade inteira.

A sinfonia da Boa-nova cantaria nos ouvidos do coração uma <u>sonata</u> de vida eterna.

A manhã continuava <u>esplendente</u>, e Jesus descia para aplacar as aflições humanas nas baixadas das paixões...

17

SEMEADORES GALILEUS

Aqueles eram sítios muito amados... Buscara-os repetidamente para fruir a ternura do povo simples, acostumado ao pálio da esperança e sonhador ante as perspectivas de felicidade. Sofridos pela constrição contínua de fatores poderosos, cujas causas e razões lhes escapavam às mentes pouco afeitas a raciocínios mais profundos, refugiavam-se aquelas criaturas à sombra do amor, tornando-se afáveis e meigas. A generosidade que lhes era peculiar de todos se fazia conhecida. Ajudavam-se no infortúnio, sustentando-se umas às outras nas dificuldades e compartiam os júbilos que as renovavam para prosseguir otimistas, conquanto as contínuas aflições, que não raro as surpreendiam.

As paisagens verdejantes em que as latadas floridas se destacavam exuberantes, falavam da fertilidade da terra, defendidas pelas encostas dos outeiros e da cordilheira altaneira que vigiava do alto o horizonte visual sem fim...

Seus diálogos com os habitantes da região eram feitos de delicada ternura e enriquecidos de promessas de ventura.

Ali, amavam-nO todas as pessoas, e desde as ressurreições de Lázaro, do filho da viúva de Naim, mais se tornara valioso para todos o intercâmbio com Aquele ameno Rabi.

Diferente de todos os que antes d'Ele passaram por aquelas plagas, convidando à Torá e à vida, Ele assumia crescentes proporções sempre que considerado por quantos O conheciam.

N'Ele havia inexplicável *magia* que comunicava paz, e à Sua volta ondas de júbilos explodiam na multidão, mesmo quando nada dizia. Os Seus silêncios, nas pausas naturais das palestras que proferia, revestiam-se de poderosa emanação de segurança interior, que igualmente impregnava os que O seguiam.

Nenhum semelhante ou jamais igual a Ele passara por Israel.

Incontestavelmente era o Enviado, o Libertador...

❦

As convulsões festivas dos últimos dias, a ignominiosa tragédia da cruz e as notícias desconcertantes afetavam-nos vigorosamente.

Após a entrada gloriosa – e durante ela, não obstante a exaltação geral, Ele se apresentava triste, no animal que O conduzia, ao espoucar das emoções festivas –, tudo se sombreara intempestivamente.

Nas informações retalhadas, em forma de comentários vexatórios, soubera-se da Sua prisão e logo do julgamento absurdo, que redundara na inqualificável crucificação...

A deserção dos amigos, a galhofa de que fora vítima pelos Seus beneficiários, o supremo abandono, a morte eram referências pronunciadas em voz dorida, recordando agonias que supliciavam todos com o ácido dos remorsos.

Ninguém sabia exatamente o que acontecera, como ocorrera, por que se dera.

Não se habituaram sequer aos insucessos cruéis, não despertaram ainda do torpor punitivo, angustiante, e novas, desconcertantes notícias inundavam os corações.

– *Ressurreição!* – proclamava-se de boca a ouvido como se se temessem represálias das autoridades ou receassem as improcedências do acontecimento.

Viram Lázaro e outros, considerados mortos, saírem vitoriosamente da sepultura, continuando a viver desde então... Quantas outras realizações acompanharam!...

Já não importava o que fora ou não fora feito.

Amavam-nO e gostariam de dizê-lO, ressarcindo o débito de amor e gratidão para com Ele...

Valorizavam-nO agora muito mais, após O terem perdido.

Desse modo, receavam separar-se, para fruírem de qualquer aparecimento que ocorresse, renovando-lhes a coragem...

O pequeno rebanho se encontrava ansioso.

Os que foram aquinhoados com a Sua presença e escutavam Suas palavras, revestiam-se de poderoso júbilo, insuperável. Iluminavam-se de estranha claridade quando narravam o acontecimento, fazendo que os ouvintes se empolgassem, participando da festa íntima que os inundava...

...E Ele aparecia e ressurgia...

As testemunhas insuspeitas se multiplicavam.

As asserções dos inimigos, denegrindo-Lhe o nome e afirmando que o Seu corpo fora roubado – calúnias espalhadas desde as primeiras visões do Seu retorno –, quase acreditadas nos entrechoques dos acontecimentos passados, agora se diluíam, e a fé, antes em tormento de saudade, clarificava, dominando todos.

Na sepultura vazia, no cenáculo, na estrada, na praia, ao lado dos amores e junto aos desconhecidos Ele se apresentou, participou de quefazeres e jornadeou em conversação amiga...

– *Vivia o Mestre!* – proclamavam os corações confiantes, outra vez afervorados.

– *A vida triunfara da morte!* – refletiam os que antes duvidavam.

Voltaram à Galileia, aos labores habituais, e o canto das redes nas águas piscosas recordava ainda mais a Sua ausência.

A atmosfera de lembranças era uma dor e uma saudade em todos.

Nas encostas e nas planuras a sega se fizera, e os feixes de erva e espinho esplendiam ao Sol.

O céu muito azul e transparente espia e agasalha aqueles corações...

❦

O entardecer se revestiu de tonalidades fortes, e o leque de luz entornava tintas fulgurantes que transmitiam mística poesia à Natureza.

Reuniram-se no cume do outeiro sem qualquer delineamento anterior. Tinha-se a impressão de que desconhecida força arrastara-os até ali.

Saudades ignotas salmodiavam tristes <u>cantatas</u> naquelas almas que O conheceram e com Ele privaram antes...

Podia-se ouvir no silêncio geral que repentinamente se abateu o pulsar rítmico da Natureza.

Refreando as emoções que o embargavam, João ergueu-se em destaque e, imprimindo à voz juvenil <u>canora</u> entonação, sumariou aqueles dias transatos, reportando-se às visões do retorno d'Ele...

Imensa ansiedade invadiu o cenário dourado da Terra.

Mães aconchegavam os filhos ao seio, esposos se davam as mãos que entrelaçavam promessas de fidelidade, anciães pressentiam a vitória da vida sobre as cinzas da sepultura...

E esperavam, ouvindo o canto do discípulo amado, não sabiam o quê.

⁂

Numa pausa para melhor reflexão, o discípulo silenciou e todos os peitos, agora <u>opressos</u>, respiraram com dificuldade.

Ao lado, um pouco mais acima do solo atapetado pela relva, de costas para o disco solar em sangue e ouro, o Amigo apareceu, <u>nimbado</u> de incomparável beleza.

Houve um estremecimento generalizado, um <u>frêmito</u> que percorreu todos os presentes.

As lágrimas saltaram dos olhos desmesuradamente abertos. Os lábios da multidão se entreabriram mudos, pela inusitada emoção.

Sim, era Jesus!

As vestes pareciam flutuar incendiadas. O rosto adornado pela basta cabeleira flutuando no ar carregado era do Amado, conquanto mais belo, mais diáfano...

– *Eis-me que estou entre vós* – começou por dizer com a mesma entonação de outrora. – *Paz seja convosco!*[21]

As palavras sem queixas nem reprimendas bordavam-Lhe os lábios e caíam como gotas divinas sobre os corações, penetrando-os.

– *Agora, ao vosso lado outra vez, e logo mais com meu Pai. Nunca, porém, me apartarei de vós nem vos deixarei. Sois a terra generosa e eu sou a semente da vida. Se não morre o grão, não se enriquece a mesa de pão. Sem o solo a semente não sobrevive porque não se renova nem se multiplica e sem o grão a terra crestada é morta...*

Sois a minha paixão, a minha longa dor, o amor da minha vida. Eu sou a vossa esperança, o alento *da vossa felicidade. Sem mim caminhareis em inquietação crescente. Sem vós sofrerei soledade.*

Vinde, novamente a mim, e deixai-me demorar em vós.

As ansiedades generalizadas selaram com silêncio suas agonias.

Ele contemplou a multidão e viu o futuro: campos juncados de cadáveres e rios de sangue; paixões desenfreadas em carros de guerras, e os abutres das pestes dizimando; os monstros do egoísmo e da insensatez dirigindo os corcéis do desespero, e as dores superlativas vencendo... Muito ao longe, no futuro, porém, desenhava-se a Era do Consolador, o período de paz...

---

21. Mateus, 28:16 a 20 (nota da autora espiritual).

– *Amai-vos sempre, eu vos peço. Seja o vosso sinal o amor. Só o amor liberta o homem. Por muito amardes, sereis perdoados, amados, felizes!*

Amai a fonte, o solo, o animal, a vida em qualquer expressão, amai-vos uns aos outros... como eu vos tenho amado!

Eu vos convido a descer aos homens e amá-los para subirdes aos Céus, amados. Todo aquele que desce para ajudar, eleva-se ajudado pelo auxílio dispensado.

Por enquanto não sereis compreendidos nem amados... Ao contrário, sereis odiados e perseguidos. Vossos suores, lágrimas e sangue lavarão vossas culpas e prepararão vosso amanhã.

Sereis tidos por endemoninhados e loucos, ultrajados nos mais caros anseios e esperanças por minha causa. Lembrai-vos de mim. Recordai: Eu venci o mundo! Não podereis vencer no mundo das ilusões e dos triunfos entre os homens de paixões.

Vossos ideais, em nome do meu nome, serão violados e confundidos, e vosso nome por amor ao meu, mil vezes pisoteado... Tende bom ânimo!

Tudo passa, menos o amor.

Na hora aziaga e nobre do testemunho, dizei: isto também passa. E alegrai-vos.

Sois minhas ovelhas amadas, e eu vos mando na direção dos lobos rapaces.

Ide, semeadores, e não temais!

Que medo podem fazer os que matam o corpo e nada mais conseguem, eles, que logo mais o perderão também?

Não vos enganeis! Porfiai, mesmo quando aparentemente tudo estiver contra vós, prossegui. Estarei convosco até o fim dos séculos.

Ignorados por todos, eu vos conhecerei; abandonados pela multidão, estarei convosco; perseguidos pelo mundo, e eu ao vosso lado.

E quando chegar o vosso momento de retornar, tomar-vos-ei em minhas mãos e vos direi baixinho: entrai na vida, vós que fostes fiéis até o fim, e alegrai-vos!

Agora, ide, pregai e vivei o amor. Eu me vou, mas ficarei convosco!

O céu estava <u>engastado</u> de estrelas preciosas no manto da noite, e a Lua em prata vestia a paisagem, confraternizando com o último ouro do poente no <u>cabeço</u> dos montes muito ao longe.

Lentamente viram-nO ascender e perder-se no infinito das constelações como se fora uma gema a mais fulgindo no seu rastro luminoso, que ficara como ponte de luz da Terra na direção do céu.

No imenso silêncio, todos desceram o monte da Galileia, bordado de <u>loendros</u> e ciprestes, e refugiaram-se nas roupas da Humanidade dos tempos, desde então até hoje nos dias do Consolador, aqueles que O ouviram e seguirão marchando fiéis até amanhã, na direção da Era da paz e da felicidade por Ele prometida.

18

SERVO DE TODOS

A imensa planície se desdobra entre os contrafortes dos outeiros.

Ao longe, o "primogênito dos montes" da Palestina – o Hermon – ostenta o cabeço aureolado de sol, e, a regular distância, o Tabor, parecendo uma sentinela natural, altaneira, defendendo a imensa planície, onde a balsamina medra em abundância e os tamarindeiros se arrebentam em flores...

Simultaneamente ali está a planície dos homens, na qual se misturam as paixões e se decompõem as esperanças.

Planície da Terra e planície dos corações.

Naquela se misturam os cadáveres e as moscas entre córregos que cantam e flores que desatam aromas.

Nesta as inquietações e desesperos, fecundando sorrisos e edificações.

Na Terra, os homens...

Nos homens, o barro frágil da terra...

❦

A planície dos Espíritos se perde de vista. A multidão se agita e percorre os caminhos. Longas são as estradas a vencer.

Dia de sol e céu transparente. A leve brisa murmura uma doce música no arvoredo, carreando ondas de suave perfume.

A Sua figura é um desafio – desafio de amor! Mais do que um estoico, porque faz do sofrimento um meio de atingir Deus e não o fim precípuo do Seu ministério, Ele parece penetrar no dédalo de todas as solicitudes humanas.

Pairando na face o tênue véu de singular melancolia, Seus olhos se transformam em duas estrelas reluzentes.

– *Que vínheis discutindo pelo caminho?* – indagou. A voz pausada possuía um tom de reproche melancólico.

Vivia com aqueles companheiros, sentia suas aspirações, participava das suas dores, falava-lhes do Reino e das suas realizações, e eles, no entanto, continuavam esvaziados de ideal. Fizera-se igual sem participar das suas querelas, testemunhando a nobreza da Sua compreensão permanente e ajudando-os, não obstante se demorassem trêfegos, levianos...

– *Que vínheis discutindo pelo caminho?* – a indagação os surpreendera, crianças espirituais, disputadoras da ilusão...

❦

Eles vinham joviais e alegres. Uma festa n'alma cantava júbilos inesperados. O dia de sol, a transparência do ar, o azul do céu, o frescor daquela hora matinal, as recordações dos acontecimentos últimos, no alto Tabor e em baixo, ao lado do epiléptico, as exaltações da massa já saciada nas primeiras tentativas, que não suportavam sopitar as inquirições que desde há algum tempo bailavam nas suas mentes.

– *Quem, dentre nós, será o maior no conceito do Rabi? Qual será o maior no Reino dos Céus?*

A pergunta espoucou espontânea, natural, inocente... Estugaram o passo e se entreolharam... – *Quem seria realmente o maior dentre todos?* – pensaram. E como se o assunto não merecesse maiores considerações, um silêncio incômodo se abateu sobre o grupo. No íntimo, porém, cada um se exalta e sorri emocionado, meneando a cabeça em assentimento, como se estivesse a ouvir o Mestre gentil destacar o mais amado, o mais relevante – é claro, que cada um a si se atribui o mérito da escolha.

As pedras do solo ao atrito com as alpercatas rolam, produzem característico ruído e a marcha prossegue.

– *Eu* – referiu-se Judas –, *sem dúvida, gozo da relevante confiança do Amigo. A mim me foi entregue a bolsa da Comunidade, num atestado inequívoco de consideração. Não receio, por isso, ser, senão o maior, um dos maiores...*

Sorriu e cofiou a barba, fitando os companheiros estremunhados.

– *Sou austero* – apostrofou Tiago Maior. – *E o Mestre nunca deixou de me reservar Suas confidências, expressivas e nobres. Convida-me, não poucas vezes, a colóquios longos, narrando aos meus o que outros ouvidos não podem escutar...*

Tomé, o Dídimo, verberando a prosápia dos companheiros, atroou:

– *E Simão Pedro? Não tem sido ele o distinguido com maior consideração? Não é a sua a casa elegida para as reuniões e os estudos dos planos futuros? Não esteve ele, também, no Tabor, como testemunha? Eu desconfio muito que não estaria mal situado na opinião do Senhor...*

– João, todavia, repousa no Seu peito – aventou Bartolomeu. – *É o mais jovem de todos nós, carinhosamente tratado pela ternura do Embaixador Celeste. Talvez não tenha ainda toda a inteireza exigível para continuar a obra ora <u>encetada</u>, não obstante...*

– *Mateus Levi, convém ressalvar* – afirmou Pedro, algo inquieto –, *é o mais erudito do grupo. Somos pescadores ignorantes; ele, todavia, lê e escreve, é hábil na arte das letras e da convivência com as leis, embora o seu silêncio...*

– *Não concordo!* – bradou Judas...

A discussão se fez acalorada e por pouco o <u>pugilato</u> infeliz não perturbou a união dos corações chamados ao amor, à concórdia, à paz...

❦

– *Que vínheis discutindo pelo caminho?* – eis a indagação do Senhor.

Queríeis saber quem dentre vós é o maior no Reino dos Céus. Eu vos digo: aquele que se fizer o menor.

O responsável do grupo é o servidor de todos. O comandante é o colaborador do grupo. O chefe é o subalterno das necessidades dos servidores.

Servo dos servos.

Não se pertence nem se permite repouso.

Renuncia ao nome e à paz, à alegria e à própria opinião.

Zeloso pelo bem-estar de todos, é magoado por uns e outros, por todos incompreendido.

Quando ajuda, sofre, e sofre porque não pode ajudar – e todos o espezinham. Ferem-no e buscam-no, traem-no e sorriem para ele – servo de todos!

O maior se apaga servindo.

Apontado, ninguém crê nele, subestimam-no. Não merece consideração e assim paira naturalmente inatingido, sereno no dever íntimo, respeitado por si mesmo: o maior dentre todos!

Os invigilantes recordam, então, o pedido de Salomé, a imprudente e a precipitada esposa de Zebedeu, que fora solicitar-Lhe colocar os dois filhos, um à direita, outro à esquerda do Seu trono, quando fosse a hora do triunfo.

Não esqueceriam a resposta pausada e triste com que Ele elucidara a ambiciosa mãe:

— *É necessário saber se eles estarão dispostos a sorver a taça da amargura até a última gota* – respondera. – *Quanto, porém, a colocá-los um à minha direita e outro à minha esquerda, isto não me compete...*

Houve um silêncio.

De cabelos encaracolados, passou <u>gárrula</u> criança de sorriso em flor.

O Mestre, tomando-a, dela fez o seu modelo.

— *Aquele que se fizer semelhante a um menino, este penetrará no Reino de Deus.*[22]

Os pequenos e claros olhos cheios de brilho do infante refletem pureza integral.

Ser adulto, com alma de criança, sem as mazelas da idade adulta.

Envelhecer e permanecer puro – sem malícia, sem impiedade, sem mágoa, jovial, inocente como uma criança na quadra primaveril.

---

22. Mateus, 18: 1 a 6; Marcos, 9: 33 a 37; Lucas, 9: 46 a 48 (nota da autora espiritual).

O maior de todos é o mais afável, o que mais se dedica e serve. Servo de todos e de todos amigo, não escolhendo misteres para ajudar.

Há os que são os maiores na ilusão e no <u>engodo</u> e sofrem a febre da ambição e da loucura.

Grandes, o mundo sempre os teve, com a alma enferma e mesquinha.

Pequenos nas grandes coisas e grandes nas tarefas insignificantes. Apequenar-se na grandeza para glorificar-se na pequenez.

– *Que vínheis discutindo pelo caminho?*

Seja, o que deseja o destaque, o servo de todos; faça-se o menor.

Menor no orgulho.

Maior na abnegação, na renúncia.

Maior – menor de todos, como Ele se revelara.

19

UM VOLTOU SÓ

As tramas caminhavam da boca dos espias aos ouvidos de Caifás, que programara Sua morte, e intrigas armavam ciladas por toda a parte. Os lábios da inveja se intumesciam, e a difamação soprava <u>verberações</u> de ira e maldade, tentando <u>solapar</u> as bases do Reino que Ele anunciava.

Desarmados nas arguições <u>soezes</u> da astúcia pela lucidez e sabedoria do Mestre, escribas desonestos e doutores da Lei indignos, mais se rebelavam. O despeito dos ínfimos é como ácido corrosivo que arde n'alma ante a impossibilidade de destruir aqueles que estão além e acima dos limites da sua inferioridade. Impossibilitados de crescer, pelas próprias constrições da miserabilidade pessoal, buscam arrastar para baixo ou aniquilar aqueles que lhes são superiores. Ainda é assim, entre os homens da Terra, na atualidade...

Aqueles eram dias difíceis: evitar Jerusalém e abandonar a Judeia, refugiando-se na Pereia onde era tolerado pelo Tetrarca Felipe ou avançar, arrostando as consequências e dores do gesto ousado.

Aproximavam-se as festas dos Tabernáculos e Jerusalém já estava apinhada: pastores, mercadores, agricultores, lidadores de todas as profissões, estrangeiros e legionários...
Seria necessário avançar e sofrer o testemunho.
Nas festas anteriores sorriam alegrias. Os dias foram álacres e quase juvenis. Acolhido por Lázaro, que fora arrancado das sombras, e suas irmãs, naquele recanto de ternura o amor fraterno enflorescera suas horas de inefável carinho, na casinha de Betânia com os discípulos... Agora, teria que atravessar o país, deixando Efraim para vencer toda a Galileia e prosseguir no rumo de Jerusalém.

Ele fora informado do nefando conciliábulo contra a Sua vida, realizado no Sinédrio, no sábado anterior, graças à lealdade de Nicodemos. Não receava, porém.

Desde o primeiro fenômeno de amor nas bodas de Caná, quando a água se fez capitoso vinho, Ele perdeu a poesia do convívio com os Seus, renunciando à jovialidade das crianças, que escutavam Suas histórias e trinavam júbilos em bocas fartas de esperança. Logo depois, na razão em que o Seu nome crescia, a inveja se avolumava, e o ódio – a enfermidade dos fracos morais – O perseguia implacável...

— *Curar num sábado!*
— *Acreditar-se profeta!*
— *Dizer-se o Enviado!*
— *Comparar-se a Deus.*

— *Crer-se maior do que Moisés* — conspiravam <u>furibundos</u> os inimigos da Verdade.

Astutos e <u>mesquinhos</u>, Seus adversários buscavam meios de O perderem.

Suave como um perfume de lavanda no ar da madrugada, Ele pairava inatingível.

Todas inúteis as conspirações.

Ele é a luz do mundo e mantém-se clarificador, conquanto se adensem as sombras em Sua volta.

Na fronteira entre a Samaria e o distrito sul da Galileia, adentrou-se por pequena aldeia, utilizando um caminho áspero pouco usado, seguido pelos companheiros do <u>discipulato</u>, para uma pausa de refazimento.

— *Jesus, Mestre, tem piedade de nós! Cura-nos!*[23]

Ele olhou na direção da súplica cuja voz se alterara e se deteve fitando aqueles destroços humanos: carnes, membros, formas despedaçados. Podridão segura a ossos, deformidades desagregando-se. Eram dez leprosos. Não que aquela fosse a primeira vez que os defrontava e lhes lavava as misérias expostas. Era a constatação do estado íntimo dos homens. A morfeia de fora provinha das regiões recônditas do Espírito.

Os discípulos por pouco não se evadiram do local, aparvalhados. O espetáculo causava nojo e consternação.

Conquanto aqueles sofredores se quedassem a uma distância de sete côvados,[24] como recomendava o Estatuto

---

23. Lucas, 17: 11 a 19.
24. Côvado: antiga medida de comprimento, equivalente a 66 centímetros (notas da autora espiritual).

da Lei, o odor forte e nauseante da carne em putrefação era quase insuportável.

A lepra, desde tempos imemoriais, era a doença mais temida entre todas. O leproso devia apresentar-se como se trouxesse luto: rasgado, desgrenhado, hirsuto, o rosto coberto desde abaixo dos olhos para ocultar as marcas odientas.

Quando caminhava, o leproso devia gritar sempre: *"Imundo! Imundo!"*, para afastar dele os prováveis incautos que se aproximassem.

Não lhes era permitido atravessar os muros das cidades, nelas entrando, e a infração era punida com 40 açoites.

Só Deus podia fazer-lhes algo.

Por isso haviam rogado a Jesus, aguardando que Ele fosse enviado de Deus.

– *Que quereis que vos faça?*

A indagação pairou no ambiente, <u>dulçorosa</u>, como esperança que chega, formosa, após desastre <u>irremissível</u>.

Pareceu que não escutaram. Dominados pela Sua presença, um deles, como despertando, grita:

– *Que sejamos curados, se quiseres!*

Quanta angústia, anseios e dúvidas naquela frase! Quanta perspectiva! Morreram, sim, eram tidos como mortos, e se se atrevessem a perturbar com as suas presenças imundas, qualquer homem poderia sem responsabilidades apedrejá-los, até que *acabassem de morrer.*

Um olhar de infinita compaixão Lhe iluminou a face, levemente pálida, suavemente triste.

– *Quero!*

Uma palavra apenas e o dia exultante de luz e calor, o ar <u>perpassando</u>, o céu azul, indecifrável, espiando.
— *Ide mostrar-vos aos sacerdotes para que eles reconheçam que reentrais na vida...*
Mesmo a Natureza espouca num hino de alegria. Eles estremecem e se tocam; olham-se reciprocamente e se fixam nas carnes e nos membros.
Debandam em algaravia, correm em desalinho, gritam... Os discípulos se entreolham, também, e no peito <u>estrugem</u> emoções inomináveis, indefiníveis.
Acercam-se do Mestre, desejam estreitá-lO, falar-Lhe mil palavras e não podem: as palavras perdem naquele momento qualquer significação...

Tristeza poderosa <u>tolda</u> o rosto do Rabi e Seus lábios se quedam selados.
"*Em caminho ficaram limpos. Um deles, vendo-se curado, voltou dando glória a Deus em alta voz e prostrou-se com o rosto em terra aos pés de Jesus, agradecendo-Lhe.*"
— Rabi, venho louvar-Te. Que devo fazer?
— O que recomenda a Lei? Segue-lhe as disposições, cumpre-lhe os impositivos e ritos para que te deem carta de cura, de reingresso na saúde...
O estranho, de joelhos, está comovido e chora.
— *Não foram dez os curados?* – perguntou, emocionado.
A interrogação soluça triste nos ouvidos de todos.
— *Por que este samaritano, tido como estrangeiro, somente ele veio agradecer?* – redarguiu, tristonho.
Ninguém respondeu.

O orgulho de raça, como o orgulho de qualquer natureza – espinho cruel que dói, incessantemente –, cravou-lhes, ferinte, na carne das almas petulantes, enfermas.

– *"Levanta-te e vai: a tua fé te salvou"*.

Era um doce canto a melodia da Sua voz.

Ante os Seus olhos desfilaram então os ignorados leprosos da alma: aqueles que ocultam nas vestes externas os abismos do coração; os intranquilos, os de vida sórdida, os de conduta infeliz. Os atormentados-atormentadores cresceram na Sua mente e Ele fitou a paisagem triste, escassa de vegetação da aldeia humilde, das gentes sofredoras...

Teria de sofrer os homens até alçá-los à felicidade: ajudá-los a libertar-se da cruel lepra moral.

Chamou os amigos e avançou pela senda das dores humanas, amenizando as asperezas dos que encontrava, na direção de Jerusalém, até a traição, o julgamento arbitrário, a cruz, a morte, a ressurreição!...

– *Não foram dez os curados?! E este voltou só: o estrangeiro, o odiado...*

20

O CONSOLADOR

Aquele mês de *adar*[25] começara mais quente do que nos anteriores, precipitando o louro da aveia em prenúncio de amadurecimento no campo. Os céus de um azul profundo denotavam o rigor da quadra estival na Judeia. Nas áridas encostas das terras crestadas, balsaminas teimosas se abrem em flor e algumas raras vegetações de cor ocre e moitas das íris violetas cobrem os cortes dos cerros, dando-lhes específica pintura.

Aquele solo árido e sáfaro, arenoso numa faixa e calcário noutra região, recebera desde há mil anos a capital de Israel, fundada por Davi, estabelecendo desde então as diretrizes seguras para o povo sofrido de contínuas escravidões...

Ele percorria com os Seus aqueles terrenos, sofrendo os preconceitos das gentes de espírito rígido nas observâncias do culto externo da Fé e da Lei, sem qualquer

---

25. Março (nota da autora espiritual).

integração, porém, no espírito dos ensinos dos profetas e de Moisés.

Aquele ano de 29 significava-Lhe as dores superlativas da comunhão com os maus, conquanto sem lhes participar das mazelas; caminhar, comer, conviver com e entre eles, e, no entanto, estar acima deles, sem os ferir, sem os humilhar...

Na Galileia gentil, de alma simples e gentes humildes, afáveis e quase sonhadoras, Ele defrontara dificuldades, todavia, amara e fruíra as venturas de receber o amor de ternura e de ingenuidade do povo. No coração dos simples, o licor da generosidade é abundante e nas suas almas há melodias que entoam cantos de fraternidade pura. Socorrem-se na dificuldade, compreendem-se na aflição – falam o mesmo idioma do sofrimento que os nivela, iguala, irmana...

As aspirações deles raramente vão além do desejo do pão, a segurança da quadra de terra onde erguem o lar e donde retiram o grão, a saúde, e depois o amparo dos Céus após a jornada concluída na Terra.

Sem os altos tirocínios e as armadilhas da astúcia intelectiva, amam prontamente e prontamente se dão.

Na Galileia, Ele compusera as parábolas simples e expressivas, cantara o Sermão do Monte, realizara a pesca abundante...

A Judeia, porém, era diferente: atormentada pelas tricas da política religiosa e governamental, fazia-se covil de lobos e ninho de águias.

Os companheiros afáveis que O seguiam, desacostumados com as condições de tratamento áspero a que eram submetidos ali – pois que os galileus eram subestimados pelos judeus, por serem simples e humildes –, mostravam-se receosos, tristes, saudosos das suas praias e terras...

❧

Seguiam-nO astutos sacerdotes por toda parte, buscando intrigá-lO com o povo; apareciam nas praças em que discursava, infelizes sofistas para perturbá-lO; espias desditosos surgiam em todo lugar, tentando surpreendê-lO em qualquer desacato direto ou indireto à letra formalista da Lei; mercenários das sinagogas propunham-Lhe perguntas de dúbia significação para prejudicá-lO, e fariseus soezes e mesquinhos ameaçavam-nO, frequentemente, invejosos da Sua popularidade, armando ciladas verbais...

Ele sobrepairava além e acima de todos.

Suas lições vazadas nas lições da Natureza, reforçadas pelos ensinos da Torá e apoiadas na comunhão íntima que mantinha com o Pai, tocavam e incendiavam de beleza os ouvintes, mesmo os que O detestavam por despeito e inferioridade.

❧

Desde o começo os seus discípulos discutiam: – *Qual de nós será perante Ele o maior? Qual de nós por Ele é o mais amado? Quem será, afinal, o Rabi? E já era tempo de que Ele se revelasse e desse uma prova...*

E, apesar disso, conviviam com Ele, conheciam-nO sem O conhecer realmente. Participavam da Sua quase intimidade e, no entanto, ignoravam... Viam, ouviam e não entendiam em toda a magnitude a Sua missão, o Seu destino...

Mister se fazia anunciar-lhes o futuro.

Naquela noite transparente, salpicada pelos diamantes estelares, enquanto a Terra se refazia da ardência do dia...

Já lhes dissera anteriormente:

— *Crede em Deus, crede também em mim.*[26]

A pergunta-resposta incisiva não deixara dúvidas. Fora enunciada com o vigor da certeza inconfundível.

Depois reflexionara: — *Desde os primórdios dos tempos enviara Mensageiros, Seus Embaixadores, para despertarem as consciências humanas pelas civilizações dos diversos tempos.*

Em todos os povos, Seu Nome, sob outros nomes, chegou aos ouvidos das almas, ensejando conhecimento da Imortalidade, dos deveres libertadores, como também das consequências das ações escravizantes.

Desfilam, então, pelas Suas evocações, Krishna, Lao-Tsé, Abraão, Hermes Trismegistro, Moisés, Buda, Sócrates, Pitágoras... que Ele enviara para despertar as consciências para a verdade, recordando nos homens a Paternidade Divina, laborando pela ética...

E quantos viriam em Seu nome depois que partisse!

Aquela era a primeira experiência real do amor no seio das massas. O amor até então era manifestação de fraqueza e cobardia moral. Media-se a coragem do caráter de homem pelo rol dos seus hediondos crimes.

Em civilizações, tal a do Seu tempo, nas quais a mulher e a criança não mereciam registro, por serem destituídos de valor, em cujo curso a vida tornada escrava, por espólio da guerra, valia menos do que uma

---

26. João, 14: 1, 15 a 18 e 26 (nota da autora espiritual).

alimária de carga, a Sua mensagem de amor e de perdão não encontraria ressonância, senão através de muitas dores e muitos séculos.

Compreendia Jesus as fraquezas humanas e as incontáveis turbações de que seriam vítimas as criaturas, as alterações que imporiam aos Seus ensinos, adaptando-os aos interesses dos diversos tempos e das suas inumeráveis paixões...

Fitando o porvir da Humanidade, sangrenta e dorida, desde aquele então, reuniu os companheiros para os ensinar, e João, no capítulo XIV das Boas-novas, anotou com fidelidade e emoção:

— *Se me amardes guardareis os meus mandamentos.*

Aquela <u>condicional</u> do amor se realizaria no futuro do dever. Amá-lO para guardar-Lhe as lições. E, no entanto, se amando, os olvidassem, atormentados, ou os alterassem, matando-lhes a significação?

Como escutando a interrogação sem palavras que pairava nas mentes deles, prosseguiu:

— *Eu rogarei ao Pai, e Ele vos dará um outro Consolador a fim de que esteja para sempre convosco; o Espírito de Verdade, que o mundo não pode receber, porque não o vê nem o conhece; vós o conheceis, porque ele habita convosco e estará em vós.*

A música da sublime promessa modulava no leve ar uma esperança consoladora, infinita de amor.

— *Não vos deixarei órfãos: eu voltarei a vós!*

O conforto do amparo contínuo dar-lhes-ia forças para sobreviver na luta e nas provações.

— Porém, o Consolador, que é o Espírito Santo, que meu Pai enviará em meu nome, vos ensinará todas as coisas e vos fará recordar tudo o que vos tenho dito.

O supremo socorro e a perene ajuda continuarão chegando incessantes e, um dia, o Espírito de Verdade se manifestará restabelecendo as Suas lições, a legítima ideia do amor...

Já não há dúvida nem receio.

Chegarão à Terra as forças invencíveis do Mundo espiritual, contra as quais o homem reencarnado, equivocado e <u>irrisório</u>, nada poderá.

Essas legiões chegarão a todos os rincões e pregarão a esperança na dor, enxugando as lágrimas da saudade e abrindo as portas da morte para a vida.

Penetrarão todos os lares da Terra e convocarão os homens à cruzada do amor impessoal e fraterno.

❦

Ei-lo chegado!

O Consolador encaminha e ampara já milhões de seres, preparando os dias do Senhor, entre os deserdados do Orbe, homenageando o amanhã da felicidade, desde o agora das lágrimas.

Aí estão soando as trombetas de além da morte, entoando advertências, repetindo os ensinos, restaurando a verdade...

Escutemo-las na acústica do coração, essa voz que fala pela boca dos sempre-vivos. É Jesus novamente ensinando.

O Consolador em triunfo traça rotas e guia.

"Mandarei alguém: o Consolador!"

"Não vos deixarei órfãos..."

21

O CANTOR E A CANÇÃO

O luar de *nissan* bordava a paisagem com pingentes de prata, e uma aragem fresca varria a noite silenciosa.

Emudecera Jesus a celeste canção, Sua oração sacerdotal.

Demoravam-se no quadrado da sala as modulações musicais da Sua voz.

A hora chegara. A hora para a qual viera.

Há pouco <u>cingira-se</u> com uma toalha e exemplificara a culminante lição da humildade, lavando os pés dos discípulos.

O Filho do Homem fazia-se o menor de todos para ensinar mais uma vez a grandeza sublime do amor – a razão da Sua vinda ao seio dos homens!

As emoções estalavam lágrimas nos olhos dos companheiros, lágrimas que não se atreviam a correr. Todos estavam com o espírito e o coração <u>túmidos</u> de expectativas, angustiantes expectativas. Aquela fora uma ceia de despedida...

143

Viveram quase três anos com Ele e, todavia, não O conheceram devidamente. Mais se agigantara naqueles últimos dias, especialmente a partir do momento em que, montado num jumento, Ele varara a Porta Dourada, entrando na cidade. As homenagens com que O receberam muitos que ali se aglutinaram pareciam entristecê-lO...

Agora a Sua canção se erguia e morria nas lembranças de todos, a inolvidável oração sacerdotal que Ele proferira após a ceia pascal, a derradeira daquele ciclo.

Despedira-se dos companheiros há poucos minutos e logo depois falara ao Pai em sublime solilóquio, não obstante a presença deles:

— *Pai, é chegada a hora. Glorifica a teu Filho, para que o Filho glorifique a Ti. Assim como lhe deste poder sobre toda a Humanidade, a fim de que Ele conceda vida eterna a todos aqueles que Tu lhe tens dado... A vida eterna, porém, é esta: que conheçam a Ti, único, verdadeiro Deus e a Jesus Cristo, aquele que enviaste. Eu Te glorifiquei na Terra, cumprindo a obra que me tens dado para fazer. Agora, glorifica-me Tu, Pai, contigo mesmo, com a glória que eu tive junto de Ti, antes que houvesse mundo.*[27]

Silenciou momentaneamente. Asserenavam-se todas as ânsias na sala aromatizada, iluminada por lâmpadas resinosas.

Estava diáfano, envolto por uma beleza extraterrena... Então, continuou:

— *Manifestei o Teu nome aos homens... Eram Teus e m'os destes... Agora sabem...*

Eu rogo por eles, não pelo mundo, mas por eles...

Neles sou glorificado...

---

27. João, 17:1 a 5 (nota da autora espiritual).

Não estarei mais no mundo, eles, porém, sim...
Pai Santo, guarda-os no Teu nome!...
Quando eu estava com eles, guardava-os no Teu nome,
protegi-os e nenhum deles se perdeu, exceto...
Vou agora para Ti...
Tenho-lhes dado a Tua palavra e o mundo os aborreceu, porque eles não são do mundo, como eu não o sou...
Não rogo que os tires do mundo, mas que os guardes do mal...
Santifica-os na verdade...
Assim como me enviaste, também eu os enviarei...
Por amor deles me santifico para que eles também em mim mesmo sejam santificados em verdade...[28]

Uma pausa lenificadora coroou a sublime canção, e os lábios do Divino Cantor silenciaram.

Jamais se voltaria a ouvir tão nobre oração-poema.

Os discípulos aproximaram-se.

Judas, que estava atormentado, não pôde reter o pranto. As duas naturezas em conflito: o homem profundamente infeliz e o Espírito necessitado entrechocavam-se naquele instante que nunca mais se voltaria a repetir.

Os claros olhos de João bordavam-se de pérolas a se liquefazerem, brilhantes, no tremeluzir das chamas crepitantes nas lâmpadas.

Cada um repassava mentalmente todo o tempo que convivera ao Seu lado, com Ele...

A melodia da Sua voz voltou ao murmúrio doce que penetrava os ouvidos atentos e se fixava indelevelmente nos Espíritos.

— *Não rogo somente por estes...*

---

28. João, 17:6 a 19 (nota da autora espiritual).

...Para que sejamos todos Um em Ti...

Eu lhes tenho dado a glória... para que o mundo conheça que me enviaste e que Tu os amaste, como também a mim me amaste.

Pai: quero que, onde estou, estejam comigo os que me tens dado, a fim de verem a glória que me deste, pois que me amas antes que o Mundo fosse fundado.

Pai Justo: o mundo não Te conheceu, mas eu Te conheço, e eles sabem que Tu me enviaste!

Eu lhes fiz conhecer o Teu nome e o farei conhecer, a fim de que o amor com que me amaste esteja neles e eu neles...[29]

A sala voltou a mergulhar em silêncio. O *lanternim quadrado* pendente continuava derramando claridade.

Ao fundo, o pequeno jardim enluarado e as velhas latadas pelos muros antigos, resguardadas pelos ciprestes altaneiros, balouçantes, murmurejantes ao vento fresco. O dia pascal começara às 17h30 quando se apagavam os últimos raios de sol, naquele abril.

— *Lavai-vos os pés uns dos outros* — dissera, após ter lavado os pés dos companheiros.

Eles talvez não hajam compreendido naquele momento toda a magnificência da lição, que objetivava destroçar, em definitivo, os liames do orgulho, as couraças resistentes da vaidade e da ambição, da inveja e do despeito, para que se irmanassem, vivendo num só sentimento de pura fraternidade.

— *Os dominadores fazem-se reis das nações* — voltara a dizer —, *mas vós não os imiteis. Que o maior dentre*

---

29. João, 17: 20 a 26 (nota da autora espiritual).

vós seja o menor, o último, e que o que governa seja igual àquele que serve...

A sala tornara-se quase totalmente escura e os pequenos candelabros foram acesos, derramando profusão de luz.

Logo viera a ceia...

A luz que agora brilha tem outra origem: vem do Alto!

Chegara a hora de abandonar o Cenáculo acolhedor e demandar o Monte das Oliveiras. Fazia-se culminante o instante. Pequena era a distância a percorrer, relativamente pequena, todavia grande...

Dissera no Seu canto que chegava a hora da luta para a qual viera, e também, em seguida, chegaram as dores para eles, os apóstolos da Sua mensagem, elucidando que uma espada teria maior utilidade do que um manto. Os companheiros, porém, sempre acostumados aos raciocínios imediatos, interpretaram erradamente a figuração, gerando neles um arremedo de coragem, mostraram-Lhe as armas.

— *Temos duas espadas* – disseram.

— *É quanto basta!* – respondera.

E o semblante fez-se-Lhe mais tristonho. Ele vivera pelo amor e chegava o instante de culminar o Messianato dando a vida. Os companheiros, todavia, pensavam em defender a vida, tomando nas mãos outras vidas!...

Começaram a marcha. A lua esplendia, e a cidade dormia.

Podiam-se ver os bairros diversos, olhados do alto. Aqui, o palácio dos sumos sacerdotes; para a esquerda, o de Herodes, próximo aos monumentais jardins do Gareb.

Desafiadora, em frente, além das manchas de sombras do Tiropéon, quase ao pé do Templo, como a vigiá-lo, a torre Antônia, representativa da "vergonha de Israel", a torre de David e mais além o Gólgota, árido e triste na distância da noite...

Judas não estava com eles, naquele momento. Fora-se... Não poderiam atravessar a cidade àquela hora, vencendo a ponte, o Tiropéon, a velha esplanada e sair pela Porta Dourada. Somente os sacerdotes entravam no Lugar Santo. Desceram, pois, à parte baixa, contornando as muralhas e atingindo o vale estreito onde corria o *Cédron* – cujas águas escuras fizeram-no granjear o nome que significa, em hebraico, *"negro"* ou *"sujo"*.

Buscavam o <u>*Gethsêmani*</u> (ou *engenho do azeite*).

– *Sentai-vos aqui* – solicitou o Amigo Divino –, *enquanto eu me retiro para orar. Vós também orai para não sucumbirdes à tentação.*

E tomando a Pedro e os filhos de Zebedeu, Tiago e João, afastou-se.

– *A minha alma está numa tristeza mortal. Orai e vigiai* – a voz estava sufocada. Começava a agonia.

Arrojado na direção do Altíssimo, experimentou companhia.

A soledade era união com o Pai.

Voltou aos companheiros por três vezes e três vezes os surpreendeu a dormir.

– *Dormis? Não pudestes vigiar sequer uma hora?! Orai e vigiai!*

A noite sorri pirilampos estelares e parece que mergulhava tudo em <u>rutilações</u> do silêncio.

Respiravam as ânsias da paisagem, levemente perfumada.

Ele mergulhou novamente na Divindade.

A agonia, a dor produzida pela ingratidão dos comensais do Seu amor feriam-nO fundamente e Ele buscava o abismo do Pai.

A angústia esfacelava-O.

Ele sabia, conhecia o mundo e suas <u>maquinações</u>.

Tinha segurança do que fizera Judas, o amigo inditoso.

Ergueu-se pela última vez e falou aos companheiros invigilantes:

– *Dormi agora e descansai. Basta! É chegada a hora. O Filho do Homem está sendo traído nas mãos dos pecadores. Levantai-vos, vamo-nos, pois se aproxima aquele que me trai.*[30]

Hora perturbadora aquela.

A noite estava fria e Ele tivera a sua máxima agonia. Ainda porejava no Seu rosto o suor sanguinolento (hematidrose), pastoso e frio. O semblante estava marmóreo.

– *Agora é tarde demais!* – balbuciou, e a voz parecia uma melodia triste chorando na intimidade dos ouvidos.

– *...Tarde demais!*

As duas últimas palavras assinalariam a fogo a memória dos companheiros combalidos e fracos que se fariam fortes – fortes que eram de espírito. Inaugurava-se o programa dos sacrifícios pela verdade.

A partir de então, o caminho do Gólgota estaria assinalado para o futuro e marcado por <u>calhaus</u>, pedrouços e espinhos.

---

30. Marcos, 14: 41 (nota da autora espiritual).

Logo após, entre as oliveiras, portando varapaus, o ridículo exército de mercenários enviado pelos dominadores enganados da Terra encontrou Judas que, então, marchou para identificá-lO.

Acenderam-se lanternas e, não obstante, a treva era geral.

Carregavam lâmpadas e se consumiam em sombras.

O traidor acercou-se e beijou-Lhe a face...

O Amigo era entregue pelo amigo.

A amizade crucificava a afeição e o amor.

❧

No plenilúnio de *nissan*, na noite varrida por ventos perfumados e frios, o Rei Celeste foi conduzido sem qualquer reação ao cárcere e logo depois crucificado...

22

TOMAR A CRUZ

Diariamente, à Sua volta, renovavam-se os grupos ávidos do Seu socorro.

A mensagem da esperança, alcançando as fronteiras das almas, inebriava-as, derramando-se abundante pelos demais corações que se contagiavam da Sua empolgante realidade.

Jamais Israel vira ou escutara alguém igual a Ele.

Os sofredores recebiam de Suas mãos as mais vantajosas quotas de auxílio, e os deserdados enriqueciam-se de alegria do primeiro encontro com as Suas palavras.

N'Ele tudo transpirava amor.

Das aldeias e cidades, dos arredores do lago e das terras distantes chegavam os grupos que se adensavam em multidões expressivas para ouvi-lO, sentir a grandeza dos Seus ensinos, fruir as concessões das Suas dadivosas mãos.

Nunca se cansava de ensinar nem se <u>descoroçoava</u> jamais ante a <u>impertinência</u> ou a rebeldia dos infelizes. Compreendia-os por conhecer o ácido sabor do sofrimento que os infelicitava e por compreender-lhes a dor decorrente da pesada canga a <u>constranger-lhes</u> os corpos cansados e os espíritos aflitos.

Alongava-se a todos como abençoada fímbria de luz na pesada sombra a clarear os roteiros, e fazia-se a barca de segurança para que os náufragos do mar das paixões atingissem as praias da paz ou os postos da segurança.

A primavera e o verão ensejavam-Lhe naqueles dois últimos anos a apresentação rutilante da Sua Mensagem. E mesmo quando os ventos outonais sopravam prenunciando o frio, Ele prosseguia ajudando os discípulos amados, para aproveitar o tempo que <u>urgia</u>, por não ser Ele deste mundo.

❦

À sombra de árvore veneranda, no entardecer, enquanto amena atmosfera se faz transparente, facultando a visão do límpido céu azul-alaranjado, Ele, ao lado dos discípulos, alongou os olhos por sobre a multidão.[31] E eram tantos os que ali estavam que se poderiam atropelar uns aos outros.

Filhos da terra e estrangeiros, d'Além-Jordão e das decápoles de Tiro e Sídon, daquelas aldeias <u>romanescas</u> e simples que Ele se acostumara a amar, eram aquelas criaturas.

Junto daqueles das margens das águas que com Ele conviviam, sentira a grandeza da humildade dos simples e a nobreza da fidelidade dos humildes. Nas Suas mãos encontravam o grão e o pão, o fruto seco e a água pura, a compreensão e a ternura. As gentes nascidas na dor

---

31. Mateus, 10: 26 a 33; Lucas, 12: 1 a 12 (nota da autora espiritual).

compreendiam-nO, sim, e Ele as amava em demasia, por isso mesmo.

Ali estavam todos os elementos constitutivos da melodia dos sofrimentos humanos.

Mutilados em permanente exibição das deformidades e miseráveis sonhadores da esperança.

Aqueles rostos sulcados pela dor e curtidos pelo Sol, aqueles olhos sem luminosidade que as desilusões quase apagaram de todo, acendiam-se, porém, expectantes, naquele momento aguardando.

Ao longe, o mar explodindo rendas nas praias tranquilas e bordando de espumas alvas os <u>seixos</u> e pedregulhos negros. Os distantes coroados de Sol poente e o verde-marrom das gramíneas teimosas nas quais madressilvas, como pingentes azuis, bordavam o tapete do solo...

Ele amava tudo aquilo: o mar era o Seu espelho a refletir a face do dia e da noite; o rio, <u>alaúde</u> em que Suas mãos movimentavam sons nas longas cordas das correntezas cantantes; as elevações tornavam-se tribunas nobres donde Sua voz se espraiava na direção dos homens; os desertos em que se refugiava para estar a sós e orar eram preferidos, e os painéis verde-brancos dos bosques e dos casarios eram a pintura comovedora na tela da Natureza...

Nublaram-se-Lhe os olhos e pela tênue cortina de lágrimas Ele pareceu ver o futuro, no qual aqueles que ali estavam se apresentariam, nascendo e renascendo, vivendo e sofrendo, até conseguirem a paz da consciência e a plenitude do coração em harmonia, sintonizados com as Leis do Estatuto Divino.

Profundamente apiedado das mazelas humanas, envolveu todas aquelas criaturas na ternura infinita do Seu amor e começou a falar:

– *Alegrai-vos na dor e não vos desespereis. Participais desde hoje do Reino de Deus e os tempos continuarão a correr cantando músicas de júbilo em vossas almas, se perseverardes fiéis até o fim.*

Todos os que vos buscaram antes prometiam quimeras e acenavam triunfos que o túmulo apaga, deixando em cinza ou lama os tecidos custosos e enferrujados, sem valor os tesouros da ficção.

Marcham e passam sorridentes os dominadores da Terra, guindados a postos nos quais padecem a alucinação da loucura que os vence e preferem ignorar.

Prometem a Terra e são submetidos a ela, desaparecendo nos seus carros de ouro, sem deixarem saudades, porque são substituídos por outros títeres e por todos logo esquecidos.

Ameaçam e atemorizam os de coração simples, perseguem os fracos porque sofrem fraquezas que os desgraçam e se fazem acompanhar de outros famanazes, quais abutres reunidos que, em última instância, irão devorar o mesmo cadáver em disputa infeliz.

Os ouvidos aguçados da multidão recebem as palavras quais moedas de luz para serem entesouradas nos cofres do coração ansioso.

A Natureza canta silêncios em derredor.

Ele prosseguiu:

– *Quem desejar ser digno de mim, renuncie-se a si mesmo, tome a sua cruz e siga-me.*

Não temais aqueles que apenas matam os corpos e nada mais podem fazer. Eles também morrerão.

Temei, respeitai aquele que depois da morte tem poder de restituir a vida, oferecendo paz ou dor.

Se me amardes, tomai a vossa cruz e renunciai às vãs <u>utopias</u>, vindo em seguida.

Construí a nova conduta do amor e da verdade.

Tudo pelo Pai é sabido, mesmo as coisas mais insignificantes Ele conhece. Tem contados os fios dos vossos cabelos.

Acautelai-vos da hipocrisia que é a arma dos cobardes.

Sede verdadeiros e mantende limpos os corações.

Aqueles que me confessarem diante dos homens, também eu os anunciarei a meu Pai.

Nada digais em segredo contra alguém, pois que isto que seja dito em silêncio será apregoado aos brados.

Evitai manter duas condutas: a que os homens podem e aquela que não podem saber. Nada, pois, façais escondido, porquanto tudo se torna revelado e permanece conhecido.

A mentira é a medida do mentiroso, como a <u>presunção</u> é a dimensão do ignorante.

Levantai a cabeça reta, mas sede simples de alma e humilde de sentimento.

<u>Engendrai</u> a simpatia entre todos e <u>fomentai</u> a cordialidade. O homem isolacionista é Espírito enfermo. Manter cortesia com os que são corteses é retribuir a medida do que se recebe.

Os meus seguidores aprendem a ter alegria interior para os momentos difíceis e se acostumam ao prazer de servir em nome do amor. É nisso que reside a verdadeira união comigo.

Preservai-vos do fermento da maledicência. As más palavras, as palavras azedas, as palavras rudes corrompem o Espírito e corroem a vida, turbando a consciência.

Saí da amargura e livrai-vos das suspeitas. Os Espíritos imundos se comprazem na inspiração dos pensamentos vulgares e se nutrem dos conúbios deprimentes.

Em toda circunstância buscai a prece e, vigiando, servi. Não procureis, porém, fazer tudo. Sede grandes nas tarefas insignificantes e tornai-vos pequenos nas grandes realizações – eis como provar a integridade no bem.

Aquele que me negar entre os homens, dele não me recordarei para apresentá-lo no Reino.

Se vos ofenderem, buscai conquistar o ofensor; se vos enganarem ide ao encontro dos enganadores; se vos caluniarem marchai com amizade junto ao infamante. *Fácil seria abandoná-los. Se assim o fizerdes não sereis dignos de mim.*

Não vim para os sãos, os bons, os felizes, mas para eles, os desventurados, e para vós, que tendes sede de justiça e paz.

A noite estava quase chegando.

Uma <u>sutil</u> atmosfera de paz caía sobre os grupos na multidão silenciosa, de coração túmido de emoções e almas comovidas.

As silhuetas dos montes se recortam nas primeiras sombras, e as estrelas salmodiam nos céus canções em prata fulgurantes.

Onomatopeias, <u>hipérbatos</u> e <u>sinédoques</u> escapam dos lábios do Mestre na composição dos ditos.

É necessário ir mais longe, informar tudo. Num crescendo de ventura, Ele profere, por fim:

– Quando tiverdes de falar, diante de quem seja, não temais! Abri a boca: o Espírito Santo falará por vós.

Sede fiéis!

Sublime musicalidade tomou conta do ar.

Levantou-se, ergueu as mãos e abençoou os ouvintes.

As lágrimas abundavam nos olhos de todos, nascendo nas fontes do Espírito.

Havia um elã invisível que transformava a mole humana numa só família – a família do amor universal do futuro!

No mar sereno deslizam ao longe as barcas que retornam. No ar salpicado pelas lâmpadas estelares as ansiedades da multidão soluçam baixinho...

...E Ele, entre os homens, apresentando a legislação do amor em convite esplêndido à Humanidade inteira.

E como todos se retirassem aos poucos, em silêncio, dispostos a carregarem a sua cruz, Ele ficou a sós e se encheu de plenitude.

A noite, por fim, vestiu o aclive de luar, enquanto as aldeias e as cidades dormiam, e Ele velava dos *cimos do outeiro*...

23

BALIZAS DE LUZ

Do choque decorrente da tragédia às surpresas dos reencontros queridos com o Mestre, aqueles companheiros da sementeira da luz transitaram em poucos dias percursos longos de amargura e júbilos.

Sentiam-se desarmados para prosseguir na tarefa e não compreendiam, conquanto o desejassem, a extensão do Reino que o Mestre viera implantar na Terra.

Acostumados à estreiteza dos conceitos e às limitações geográficas do solo em que nasceram e viviam, não podiam penetrar na grandeza do ideal universalista e adimensional a que a Palavra Reveladora se reportava incessantemente...

Em Jerusalém, naqueles dias, eram estrangeiros atemorizados, amargando as vicissitudes dos acontecimentos terríveis que os surpreenderam, sulcando fundamente suas almas aparentemente sem experiência...

Jesus fora-lhes o Amigo Divino, é verdade, mas acima de tudo tornara-se o Celeste Condutor das suas vidas.

Acostumaram-se à energia e à meiguice da Sua palavra como o cordeiro que identifica com facilidade a voz do pastor e lhe segue o bastão de comando...

Chamados à realidade da fé e ao compromisso assumido pelas irretorquíveis demonstrações de amor do Companheiro que retornara do Além-túmulo para conviver ao lado deles reiteradas vezes, passaram a experimentar diversa robustez de ânimo e até então desconhecida determinação espiritual.

Após elegerem Matias para o lugar de Judas e receberem o Espírito Santo, desataram-se as percepções obnubiladas até aquela hora e lucidez inusitada os dominou. Podiam fitar os horizontes infinitos do futuro e experimentar gáudio descomunal no exercício do bem e da renúncia.

O verbo se lhes destravou das bocas antes seladas por cruel silêncio, e a palavra lhes escorria abundante e sábia do cérebro às modulações da voz canora e forte.

Teriam que redobrar o esforço para o serviço começante.

Embora tudo estivesse ainda por fazer, contavam com a inspiração do Mestre e o socorro dos Seus embaixadores, que incessantemente os visitavam, revigorando-os e esclarecendo-os.

À frente o porvir difícil, e a desdobrar-se ante os seus olhos a Seara necessitada de semeação e cuidados.

Os homens esfaimados, as criaturas exauridas de sofrer, os corações cansados e cheios de decepções – eis o barro que teriam de movimentar para transformar em ânfora capaz de reter o elixir divino, conservando puras as suas excelentes qualidades.

Sem temor, exaltados pela fé, após orarem e unirem esforços, na tentativa de criarem comunidade pura e simples, em que se refugiariam, prepararam-se para o cometimento: avançar com os pés do futuro na direção da Humanidade...

Pedro e João, fascinados e vibrantes de entusiasmo, demandaram o Templo e libertaram o coxo da Porta Formosa, transformando a prata e o ouro de que não podiam dispor, em esperança e saúde em nome de Jesus... Como, porém, os ali presentes se surpreendessem com o raro fenômeno da libertação do paralítico das amarras constringentes que o infelicitavam por longo período, o velho pescador proferiu ante o assombro geral comovente discurso de exaltação ao Senhor da Vida:

– *Israelitas, por que vos maravilhais deste homem, ou por que fitais os olhos em nós, como se por nosso poder ou piedade o tivéssemos feito andar? O Deus de Abraão, de Isaac e Jacó, o Deus de nossos pais glorificou a seu Servo Jesus, a quem entregastes e negastes perante Pilatos; quando este havia resolvido soltá-lO, negastes o Santo e Justo, pedindo que se vos desse um homicida; matastes o Autor da vida a quem Deus ressuscitou dentre os mortos, do que somos testemunhas...*[32]

A palavra emocionada e musical penetrava as almas em expectação.

O recém-curado chorava, ria e os apontava como responsáveis pelo retorno da sua saúde claudicante.

– *Nada fizemos* – modulou Simão, que se agigantava na multidão, nimbado de desconhecida luz. – *Fê-lo Jesus. Arrependei-vos do mal e encetai desde agora vida nova! Despertai!*

---

32. Atos, 3:12 a 15 (nota da autora espiritual).

A sua palavra cheia de vibração e elevada pela emotividade cindia a acústica fechada das almas, irrigando de esperanças os canais ressequidos das consciências entenebrecidas, despertando-as para os primeiros embates da Mensagem...

Chocados pela coragem dos estranhos, sacerdotes e policiais temerosos prenderam-nos, em atitude arbitrária, como se limitando os seus movimentos pudessem silenciar-lhes a palavra soprada pela Verdade...

Mil vezes o fato se repetirá.

Ante a impossibilidade de impedir-se a manifestação da verdade, a ignorância há buscado destruir os veículos pelos quais se manifesta...

Continuava a partir daquele momento o martírio iniciado no Gólgota, mas que não se acabaria pelos séculos afora até os dias atuais...

Libertados *a posteriori* por falta de provas que os retivessem no cárcere, os discípulos retornaram à comunidade, oraram emocionados, agradecendo a bênção do testemunho e rogando a oportunidade de prosseguirem até a morte...

Os dias que se sucederam esmagaram paulatinamente aqueles homens simples e audazes que passaram à memória dos tempos como heróis da renúncia e vexilários do amor, não se lhes extinguindo o ideal. As sementes de vida que esparziram, à semelhança do que fizera o Seu Modelo, conseguiram modificar a estrutura social, econômica, moral e política da História, gerando uma era de esperança e de paz.

Criaram nova História para os fastos da Humanidade, por onde palmilharam com pegadas de sangue...

Abriram imensas brechas nas paredes fortes da dominação de governos tirânicos, e o amor que deles evolou impôs-se como a resposta única possível à problemática da angústia universal. Mediante a resistência pacífica e perseverante, encharcaram os séculos de amor e os iluminaram quando os campeões da impiedade ameaçavam tudo destruir e aniquilar, reduzindo a escombros e trevas...

A sua *não violência* produziu o mais vigoroso e demorado movimento de fraternidade que se conhece... E a sua memória, as suas lutas, as suas abnegações e o seu amor vivem atuantes até os nossos dias, constituindo a segurança dos que amam e confiam, dos que esperam e se doam à Causa de uma Humanidade melhor e mais feliz.

Ainda hoje as perseguições aos <u>paladinos</u> do bem e aos servidores do Cristo não cessaram.

Repontam com mil faces, estrugem de maneiras múltiplas, convocando os verdadeiros trabalhadores do bem ao poste do martírio e ao circo do ridículo, ferindo-os fundo na alma e anatematizando-os incessantemente, como se forças conjugadas conspirassem contra a Vida <u>estuante</u>...

Não nos iludamos!

Mudaram os tempos, modificaram-se os métodos da <u>insana</u> campanha contra o Cristo, ora disfarçados e sutis, conspirando contra os que se entregam – discípulos estoicos do Herói da Cruz – com devoção ao programa de redenção humana.

À semelhança daqueles seguidores <u>intimoratos</u> que conviveram com Jesus e Lhe deram a vida, prossigamos irmanados na colocação de balizas pelas fronteiras do Reino Divino entre os homens da atualidade.

Hoje, como ontem, retornam as Vozes, e falam os chamados *mortos*, alentando e revigorando as consciências, atestando à saciedade a indestrutibilidade do espírito e a realidade da vida após o túmulo.

Mesmo que se faça noite em nossos caminhos, repentinamente, e a chuva de amarguras caia impenitente sobre nossas cabeças, e os nossos pés tropecem nos calhaus que a indiferença, em nome da falsa cultura, e a impiedade, representativa da ignorância, nos arremessem, continuemos de ânimo robusto e Espírito afervorado, ligados ao Espírito Divino, colocando as marcas da nossa passagem em bastiães de luz que clarificarão por todo o sempre as eternas fronteiras do Reino de Deus, quais postos avançados da vida nos campos de sombras da morte.

24

NEM PRISÃO NEM MORTE...

A casa de Felipe, em Cesareia, sorria júbilos, e o canto puro da mensagem de vida eterna comovia o agrupamento familiar, repetindo-se dias e noites a fio as incomparáveis bênçãos da comunhão com os Espíritos Sublimes.

O excelente ancião devotado a Jesus era genitor nobre de quatro virgens, cujas vidas de renúncia e abnegação facultavam-lhes manter a pureza das admiráveis fortunas da mediunidade dignificada, a benefício dos neófitos do Evangelho nascente.

Pelos seus lábios insistentemente falavam as preciosas lições da esperança, fortalecendo os Espíritos para as lutas valorosas do bem, pela dedicação total.

No silêncio que se fazia natural, ao término de cada exposição vitalizadora da Palavra, caíam em transe, abrindo as portas da Imortalidade radiante para ensejar aos que deambulavam nos estreitos limites das paredes orgânicas a Revelação, a fim de que pudessem agigantar-se pelas praias felizes da Espiritualidade...

Não fora esse sublime concurso vital facultado aos discípulos fiéis, e aqueles seres – conquanto o Espírito de abnegação e devotamento de que se revestiam – não suportariam as tenazes constringentes da impiedade e do desrespeito, da intolerância e da rebeldia indisfarçável arremessadas contra eles.

A Boa-nova, semelhante à madrugada que prenuncia bonança de luz em plena noite de dominação das trevas, não poderia encontrar guarida nos usurpadores, tampouco compreensão no campo social, em que a força representava verdadeiramente a conquista maior para o acesso fácil ao triunfo, conquanto transitório.

A hipocrisia religiosa, multissecularmente mancomunada com o domínio temporal, sufocava nos tecidos do abuso as expressões nascentes de qualquer movimento libertador que visasse à iluminação e ao conforto da grande massa dos infelizes.

Com Jesus mudaram os quadros vigentes. Ele não se limitara a ajudar apenas aqueles que haviam ganhado a Terra, não obstante os atendesse também; ligou-se, todavia, fortemente à dor e ao desalento do povo sofrido para soerguê-lo, acenando-lhe com as esperanças maiores do Reino dos Céus.

Esteve sempre ao lado do sofrimento e Seu coração, partilhando todas as aflições dos infelizes, franqueava-lhes a entrada de acesso ao Reino além do mundo, caso desejassem transformar as suas dores da Terra em futuras alegrias do Céu...

Depois de haver partido, com a natural ausência do Seu conforto direto, enquanto avançavam os tempos e aumentavam vigorosas as perseguições ultrizes, fazia-se necessário manter o divino elã de resistência e segurança nos corações receosos e nas vidas tímidas dos companheiros da retaguarda...

Não fossem as Vozes em incessante intercâmbio em Seu nome e não se teria alargado pela Terra a Mensagem Consoladora, tão rudes os golpes da criminalidade e de tão funestas consequências afrontosas e contínuas perseguições.

A morte, porém, na tradição do Evangelho, nunca produziu medo, por ser vida estuante, vigorosa – porta para a felicidade, quando decorre do sacrifício nobre pelo ideal da Verdade... Isto, porque aqueles mortos queridos, sempre vivos, retornavam ao convívio dos que haviam ficado, para alentá-los e encorajá-los na luta, acenando-lhes promessas e alvíssaras de paz que conseguiam lobrigar logo lhes chegasse a vez.

As narrações evangélicas estão sempre odorificando os corações com o perfume da Revelação...

Profetizavam as filhas virgens e dignas de Felipe, em cuja casa Paulo, no ardor da sementeira da fé edificante, se hospedara em Cesareia, ao retornar da viagem a Tiro, Ptolemaida...

⁂

Naqueles dias, chegou da Judeia um membro atuante e credenciado pelo Alto para o ministério, Ágabo, portador da mediunidade rutilante, já conhecido de Paulo.

A alegria festiva espontânea e o convívio vitalizador com o embaixador do Mundo espiritual assinalariam o

Divaldo Franco • Amélia Rodrigues

assentimento do Cristo ao programa em pauta e trariam a diretriz segura quanto aos destinos futuros do labor apostólico.

Pairavam, também, no ar, graves preocupações. A Igreja de Jerusalém sofria aguerridos combates e infâmias sórdidas.

Ágabo, tomando a cinta de Paulo, na primeira reunião a que se fez presente, atou pés e mãos e disse:

— *Assim ligarão os judeus, em Jerusalém, o varão a quem pertence esta cinta, e o entregarão nas mãos dos gentios.*[33]

A aflição flechou as almas humildes dos que compunham o grupo fiel. Imediatamente foram tomadas providências para que o apóstolo dos gentios não descesse à capital, a fim de poupar-se à ação nefanda dos inimigos do Mestre.

O carinho e o zelo dos amigos, o medo e a devoção dos irmãos receosos tentaram dissuadir o Pregador de realizar a viagem, de modo a evitar as injunções decorrentes do apostolado, como se isto dependesse dos esforços débeis da amizade terrena, em detrimento dos programas divinos nos seus objetivos elevados, transcendentes.

Lucas, que o acompanhava e os demais choram, tentando dissuadi-lo.

Paulo se recusa atender às medidas de precaução e coloca a vida, que de nada lhe serviria se recuasse, nas mãos do Rabi e exclama: — *Que fazeis, chorando e magoando-me o coração? Pois eu estou pronto não só para ser ligado, mas até para morrer em Jerusalém, pelo nome do Senhor Jesus* — e ruma na direção do sacrifício que o engrandece e respalda

---

33. Atos, 21: 10 e seguintes (nota da autora espiritual).

a palavra da sua boca, vitalizando a pregação do Cristo nas luminosas e combativas mensagens ainda insuperáveis.

O Mundo espiritual sempre esteve presente na Igreja primitiva, atendendo seus membros e comunicando-se com os lidadores das tarefas espirituais. Fonte inexaurível da Misericórdia Divina, a revelação se fazia espontânea e nutriente, sustentando os servidores do bem na adimensional realização do ministério abraçado, através da mediunidade.

❦

Hoje, evocando aqueles dias da Igreja ativa e dinâmica dos primeiros séculos do Cristianismo, a Doutrina Espírita revive a mensagem de vida eterna, e os imortais que venceram o umbral da decomposição celular retornam para prosseguir norteando e conduzindo o pensamento moderno para além das fronteiras da Terra, na direção dos rumos ilimitados do Reino de Deus.

Conquanto os óbices que ainda são levantados e as prisões morais, as limitações domésticas e os inimigos do homem enjaulados no próprio *eu*, os trabalhadores intimoratos de Jesus prosseguem fiéis, incorruptíveis até a morte, que é a antemanhã da vida em que creem, que divulgam e aguardam, corajosa, jubilosamente...

Narram os Atos dos Apóstolos que Paulo estava hospedado em Cesareia, na residência de Filipe, que tinha quatro filhas virgens que se comunicavam com os Espíritos, e que ali chegara Ágabo...

...Sofrimentos pela causa da Verdade.

Perseguições no culto do dever.

Dever acima de tudo com Jesus até a morte se necessário, já que a vida que possam tomar aos lidadores da fé, a Ele, que é o Senhor, já pertence, desde antes...

25

A CURA REAL

É como vos digo, nobre Lavínia! Os cristãos constituem o grupo mais <u>cordato</u> de todo o Império, incapazes de desordens ou desrespeito de qualquer natureza. Amam a verdade e obedecem às leis, colaborando eficazmente pelo bem geral. Mesmo quando consideram os governos arbitrários ou injustos, mantêm a mansuetude e porfiam na esperança, ainda que <u>espoliados</u> ou perseguidos...

– Falas, Mirian – redarguiu a outra –, como se os conhecesses. E isto me surpreende. Vives na minha casa como hóspede honrada e querida desde os dias dos meus pais, e jamais supus que privasses com essa gente... Certamente, a sua <u>famigerada</u> doutrina, nascida de um malfeitor que foi justiçado numa cruz, estimula-te e até certo ponto compreendo as tuas simpatias, considerando as afinidades decorrentes da tua raça e dos teus costumes... No entanto, és mulher inteligente, verdadeira diva da música, do canto e, por que não dizê-lo, uma eleita dos deuses se não fosse...

— *Compreendo a respeitável patrícia* — acudiu a interlocutora, comovida. — *É-me difícil explicar-vos... A verdade, porém, constrange-me a afirmar-vos, fiel ao respeito que vos devoto, que os cristãos obedecem à ordem...*

— *...Mas não sacrificam aos deuses, ferindo as venerandas tradições de Roma.*

— *Concordo que não reverenciam outros deuses, senão Deus, que é o Único e o Soberano Senhor do Universo.*

— *Espantas-me! Pareces cristã!*

— *Se assim vos pareço, gostaria de dizer-vos que Jesus me fascina.*

— *Blasfemas! Enlouqueceste? Por que nunca mo referiste?*

— *Jamais me perguntastes, senhora.*

— *Que tens a favor do Crucificado e contra os nossos deuses?*

— *Nada, Senhora, nada contra. Somente a favor de Jesus, a Quem conheci, faz muitos anos...*

Os olhos negros e grandes da mulher nublaram-se de lágrimas, parecendo rever através dos painéis da memória o longínquo passado, vivo e fulgurante na sua alma.

— *Quando O conheceste, já eras?...*

— *Sim, foi a paralisia que me conduziu à Sua presença.*

— *E Ele não te curou? Não dizem que era <u>taumaturgo</u>?*

— *Não, não me curou o corpo, é certo. Não o corpo...*

Lá fora, o Sol causticante de julho e o calor abafado, desagradável.

No <u>átrio</u> do palácio, entre os ciprestes verdes e esguios, as duas <u>matronas</u> dialogam, e os loendros, sob a forte luz do verão, arrebentam-se em festa de flores perfumadas...

– Escutai-me! Dir-vos-ei... Ouvi falar de Jesus – fez-se mais bela a narradora cuja tez morena tornara-se levemente pálida – *quando os sonhos da juventude ofertavam-me o entusiasmo da esperança. Corriam nas minhas artérias como licor precioso as energias que se transformavam em sonhos na minha imaginação exaltada, em face da dor da paralisia cruel que me retinha ao leito desde a adolescência... Diziam que o Rabi lenia as exulcerações de toda natureza, limpava as mazelas do corpo e da alma, e diante d'Ele as enfermidades e os demônios debandavam em retirada... Supliquei que me levassem até Ele, no sítio em que pousava...*

A voz embargada refletia a emoção da expositora, dominada por expressiva saudade, a transparecer na evocação dos fatos.

– Ele pernoitava, então – prosseguiu relatando –, *na casa modesta de um dos seus de nome Pedro, que, segundo consta, encontra-se agora em Roma. Conduzida à Sua presença, perguntou-me com inefável modulação:* – *"Que queres que eu te faça, minha filha?"*

– "Que volte a andar, Senhor!"

A expressão do Seu rosto, aqueles olhos transparentes e puros penetrando-me a face imersa em tristeza, oh! Nunca pude <u>olvidar!</u>

Fitou-me demoradamente, e depois redarguiu: – *"Andar não é o mais importante na vida como supões. Dar-te-ei muito mais. Vai em paz!"*

– Mas nunca levantaste da cama – arremeteu, irada, a patrícia romana. – *E como O respeitas e dizes que O amas?*

– Por muito tempo – permiti-me referir-vos –, *pensei também assim. Por que Ele não me curara? Conheci paralíticos outros aos quais Ele restituíra os movimentos; cegos,*

surdos, mudos, endemoninhados que se recuperaram após estar com Ele. Por que eu não?!

Foi somente a lição do tempo que me fez compreendê-lO.

À medida que se passavam os meses e os anos, aqueles beneficiários das Suas mãos e da Sua compaixão voltaram a enfermar e alguns morreram... Outros, após a saúde desertaram dos deveres, acumpliciando-se com males e infelicidades danosos e de difícil elucidação... Eu, porém, continuava paralítica, todavia, paulatinamente, fui sendo possuída por incomparável paz, dominada por inexplicável alegria de viver e amar. Transformei minha dor em sorrisos para os mais infelizes do que eu, e a minha aflição resignada ensinava em silêncio, conforto e esperança a outros padecentes.

Fez uma pausa, como se desejasse recompor mentalmente a ordem dos acontecimentos, para logo prosseguir, elucidando:

– Aqueles olhos <u>dúlcidos</u> pareciam fitar-me sempre e aquela voz incomparável continuava soando-me aos ouvidos. Passei a amar Jesus...

Ele, é certo, havia partido. Contaram-me sobre o Seu retorno e reaparecimento, reiteradas vezes... Narraram-me Seus ditos, Seus feitos e descobri-me amando-O, através do sofrimento dos que não O puderam conhecer... Fui convidada a participar das reuniões que se faziam em Sua memória e ali, com a <u>cítara</u> e a voz, nos intervalos da narrativas e dos estudos da Sua palavra, eu cantava bendizendo Sua misericórdia e Seu amor...

Estava curada, não do corpo, mas da alma, que é muito mais importante.

Vossos pais, quando de passagem por Jerusalém, conhecendo-me, convidaram-me a vir a Roma para cantar e ser vossa amiga, então...

No dia quente, ante a piscina cercada por altivas colunas de mármore, suave olor perpassa.

– É como vos digo, nobre Lavínia...

– Esse Jesus, sem dúvida – falou tranquila, então –, conquanto os meus respeitos à lei e às tradições de Roma, pelo que dizes, parece-me um deus.

– Não um deus, pois que Deus só um existe, mas o "Filho de Deus", Rei Sublime que está acima de todos os reis...

– Cala-te, Mirian, para que ninguém suponha que conspiramos contra o Imperador, e silencia tuas simpatias pelos cristãos...

– Não posso, Senhora. Perdoai-me! Quem conhece Jesus, pertence-Lhe, entregando-Lhe a vida desde então, para que Ele a dirija.

– Admiro o teu Amor. Respeito a tua fé.

– Muito obrigada, nobre senhora. Salve!

E o dia continuava lá fora, vencendo o ciclo do sol...

Ao entardecer daquele dia, no Circo Máximo, um magote de cristãos era atirado às feras em testemunho de amor a Jesus...

GLOSSÁRIO

A	
Abrolhos	Obstáculos, dificuldades, escolhos.
Acalentado	De acalentar – confortar, acariciar, mimar, manter.
Acautelatório	Próprio para acautelar, tornar prudente, prevenir, precaver.
Acerba	Dura, árdua, difícil.
Acre-doce	O mesmo que agridoce, que tem sabor amargo e doce.
Acumpliciamento	Tornar-se cúmplice de, ato de associar.
Adernam	De adernar – inclinar a embarcação sobre um dos bordos por ventos, vagas ou alagamentos.
Aditado	Acrescentado, adicionado.
Admoestando	De admoestar – advertir, censurar, repreender.
Adulterina	Adulterada, ilegítima, bastarda.
Afável	Afetuoso, carinhoso, cordial, fraterno.
Aferraram	De aferrar – agarrar, prender, segurar com força.
Afervorar	Encher-se de zelo, de fervor, de ardor, de energia, de entusiasmo.
Afrontosa	(Afronta) – Injuriosa, insultuosa.
Aguerrido	Combatente, valente, perseverante.
Alacridade	(Álacre) – Alegria, vivacidade, jovialidade.
Alaúde	Instrumento musical em forma de meia pera, com cravelhas situadas no braço em ângulo reto, usado na Europa nos séculos XVI e XVII.
Alcantis	(Alcantil) – Rocha escarpada, desfiladeiro escarpado.
Alçapão	Armadilha, cilada, emboscada.
Alcofa	Cesto de vime.
Alentava	De alentar – encorajar, dar alento, ânimo ou coragem.
Alento	Hálito, coragem, ânimo, sustento.
Algaravia	Confusão de vozes, linguagem confusa, tagarelice.
Aliciado	De aliciar – atrair, seduzir, incitar, instigar, subornar.
Alpercata	Alparca, alpargata, sandália cuja sola se prende ao pé por tiras de couro.
Alquebrado	De alquebrar – curvar, dobrar, prostrar.
Altaneira	Que se eleva muito, altanada, soberba, altiva.

Luz do mundo • Edição Especial

Altissonante	Sonoro, retumbante, ruidoso, magnificente.
Alvíssaras	Boas notícias, exclamação de contentamento ou alegria.
Âmago	Centro, essência, íntimo.
Amainam	De amainar – abrandar, acalmar, tranquilizar, cessar.
Amolenta	De amolentar – amolecer, enfraquecer, abrandar, comover.
Anatematizam	De anatematizar – excomungar, reprovar, execrar, condenar.
Anêmona	Gênero de plantas ornamentais com flores de cores variadas.
Ânfora	Vaso antigo com duas alças, cântaro.
Antelógio	Antelóquio, proêmio, prefácio, apresentação, preâmbulo, prólogo.
Aparvalham	De aparvalhar – desorientar-se, desnortear-se, atrapalhar.
Aparvalhante	Desorientador, desnorteador.
Apóstolo	(Do grego *apostolos*) – Que é enviado, que prega o Evangelho, propagador de qualquer ideia ou doutrina.
Apostrofou	De apostrofar – esconjurar, amaldiçoar injuriar, praguejar.
Apoteose	Divinização, honraria, esplendor, glorificação.
Aquiescência	Ação de consentir, concordar, permitir.
Aquinhoado	De aquinhoar – contemplar, favorecer, dotar.
Aragem	Vento brando, brisa, viração.
Ardilosa	Astuciosa, manhosa, velhaca.
Argênteo	Prateado, argentino.
Arrazoava	De arrazoar – apresentar razões, argumentar, discordar.
Arrostando	De arrostar – encarar, afrontar, desafiar.
Assacando	De assacar – imputar ou atribuir.
Assentimento	Consentimento, acordo, ajustamento.
Asserção	Ter certeza do que está falando, afirmar, asseverar.
Assertiva	Afirmação, argumento, alegação.
Astúcia	Manha, artimanha, ardil, malícia, esperteza.
Astuto	Ardiloso, esperto, malicioso.

Divaldo Franco • Amélia Rodrigues

Átimo	Instante, momento, em curto espaço de tempo.
Átrio	Principal aposento das casas na Roma antiga, área grande e coberta de acesso a um edifício.
Atroou	De atroar – estrondear, retumbar, aturdir.
Audaz	Corajoso, arrojado, audacioso, destemido.
Auscultava	De auscultar – escutar, examinar, analisar, perceber.
Austero	Rígido, severo, inabalável.
Avatar	(Do sânscrito *avatára* – *"descida do Céu à Terra"*) – Reencarnação de um ser divino na Terra, segundo o hinduísmo.
Ávida	Que deseja ardentemente, sôfrega, esfaimada, sedenta, sequiosa.
Azedume	Amargura, mau humor, irritação.
Aziaga	Mal agouro, azarenta, infeliz, infausta.
Azorragavam	De azorragar – açoitar, chicotear, vergastar.

B	
Baal	Deus dos cananeus, responsável pelas plantações.
Bagas	Gotas.
Bagatela	Ninharia, futilidade, insignificância.
Balada	Peça vocal de caráter narrativo, acompanhada ao piano, peça instrumental dos compositores românticos – século XIX.
Baldoou	De baldoar – berrar, bradar, gritar.
Baliza	Demarcação, separação, delimitação.
Balsamina	Planta que produz bálsamos, líquidos aromáticos de agradável perfume.
Balsamizante	Que alivia, ameniza, suaviza, perfuma.
Bastião	Fortificação, baluarte, sustentáculo, movimento de resistência.
Blandicioso	Que tem blandícia, que afaga, meigo, carinhoso.
Bonançosa	(De bonança) – Calmaria, brandura, sossego, serenidade.
Borrasca	Vento forte e súbito acompanhado de chuva, tempestade no mar.
Borrascosa	Que traz borrasca.

Luz do mundo • Edição Especial

Brame	(De bramir) – Rugir, berrar, bradar, clamar.
Bruma	Nevoeiro, cerração, névoa seca, fumaça.
Bulhento	Barulhento, ruidoso.
Buliçoso	Que sussurra, que murmura.

C

Cabeço	Cume arredondado dos montes.
Calceta	Argola de ferro no tornozelo, indivíduo condenado à calceta, pena de trabalhos forçados, grilheta, prisioneiro.
Calhau	Pedra, rochedo, pedregulho.
Candeia	Lamparina com óleo para iluminação.
Canga	Opressão, sujeição, jugo, peça de madeira encurvada para uso nos bois de tração.
Canora	Harmoniosa, suave.
Cantata	Composição musical erudita (religiosa ou profana), destinada ao coro ou ao solo.
Cantilena	Melodia suave, lírica e repetitiva, discurso repetitivo.
Capitoso	Que sobe à cabeça, embriagante, inebriante.
Carpa	Espécie de peixe muito usada em piscicultura, de carne muito saborosa.
Carreado	Levado, conduzido, arrastado.
Catadupa	Jorro, derramamento em grande quantidade.
Catalepsia	Sono profundo com rigidez muscular, sono hipnótico.
Caterva	Multidão, malta, corja.
Caudal	Torrente impetuosa, rio caudaloso.
Celeridade	Velocidade, rapidez.
Centurião	Comandante de uma centúria (companhia composta por 100 cavaleiros).
Cercear	Cortar, suprimir, desfazer, destruir.
Cerebração	Atividade ou capacidade intelectual.
Cerro	Colina, morro.
Cerviz	Pescoço, nuca, "dobrando a cerviz – que se curva a autoridade".

Charrua	Arado com peça de ferro em estrutura de madeira, para lavrar a terra.
Chasquina	De chasquinar ou chasquear – zombar de, troçar de, escarnecer.
Chibateara	De chibatear – chicotear, golpear.
Chilreava	De chilrear – canto dos pássaros, gorjear, pipilar.
Cindia	De cindir – separar, dividir, cortar.
Cingira	De cingir – vestir-se, envolver, rodear, cercar.
Cínico	Relativo ao cinismo – doutrina e modo de vida dos seguidores dos filósofos socráticos Antístenes e Diógenes, fundadores da escola cínica, que pregavam a volta à vida em estrita conformidade com a Natureza, opondo-se radicalmente aos valores e às regras sociais vigentes.
Circunvaga	De circunvagar – andar em torno, andar sem destino, girar, divagar.
Cítara	Instrumento de cordas aperfeiçoado a partir da lira.
Clangor	Som estridente de instrumento metálico como clarim, corneta, trombeta ou trompa. Nas antigas batalhas, soavam trombetas anunciando ataques.
Claudicante	Incerto, vacilante, duvidoso, aquele que claudica ou manca.
Cofiou	De cofiar – afagar, alisar (cabelo, barba ou bigode).
Colimando	De colimar – visar a, ajustar, tornar paralelos entre si (raios de luz).
Colóquio	Conversação entre duas ou mais pessoas.
Comensal	Que come junto, que come em casa alheia, que se beneficia.
Comprobatório	Que serve como comprovação, comprovante.
Concessão	Ato de conceder, permissão, consentimento.
Conciliábulo	Assembleia com objetivos malévolos, conchavo, conspiração.
Concubinato	União não formalizada pelo casamento civil.
Condicional	Dependente de uma condição, incerto, reserva.
Conivência	Cumplicidade, conchavo, conspiração.
Conivir	Colaborar, mancomunar, ser conivente com.
Conjecturavam	De conjecturar – presumir, pressupor, adivinhar, imaginar.

Luz do mundo • Edição Especial

Conjunção	(De astros) – Em astronomia, significa a proximidade de dois ou mais corpos celestes vistos da Terra em determinado ponto do céu.
Conjuntura	Conjunto de determinados acontecimentos num dado momento; circunstância, situação.
Consolador	Jesus prometeu enviar à humanidade o consolador, ou o Espírito de Verdade que: "...Vos ensinará todas as coisas e vos fará recordar tudo o que vos tenho dito" (João, 14:15-17).
Constranger	Levar a fazer algo, embaraçar, impedir, forçar.
Constrição	Pressão circular, aperto, compressão, aflição, angústia.
Constringente	Que constringe, que fecha de modo circular.
Conúbio	União, ligação, aliança, casamento.
Cordato	Cauteloso, prudente, ponderado.
Cornucópia	Atributo da abundância, vaso em forma de chifre cheio de flores e frutos.
Corolário	Proposição resultante de uma verdade, decorrência, dedução, consequência.
Coruscam	De coruscar – fulgurar, reluzir, rutilar.
Crepe	Tecido negro de luto, tecido fino e ondulado de seda ou lã.
Crepitante	Que crepita – estalidos produzidos pela madeira ao fogo.
Crestado	De crestar – secar, queimar, tostar.
Crível	Que se pode crer, acreditável.

D

Danoso	Que causa dano, que prejudica.
Decálogo	(Do grego *dekálogos*) – Os dez mandamentos bíblicos da Lei de Deus; conjunto de dez normas ou princípios.
Decápole	(Do grego *dekápolis*) – Coligação de dez cidades situadas na margem oriental do Rio Jordão, libertadas por Pompeu, conquistador romano, do domínio dos asmoneus. São elas: Abila, Canata, Citópolis, Damasco, Dium, Filadélfia, Gadara, Gerasa, Hipos e Pela.
Dédalo	Labirinto, emaranhado, cruzamento confuso de caminhos.

Delonga	Demora, atraso, adiamento.
Denegrindo	De denegrir – macular, manchar, desacreditar, desabonar.
Desacato	Desrespeito, desconsideração, desatenção.
Desaire	(Desar) – Descrédito, desdouro, desgraça, mancha.
Desalento	Desânimo, abatimento, depressão.
Desalinho	Perturbação de ânimo, desordem.
Desconexa	Sem conexão, desunida, sem nexo, incoerente.
Descoroçoava	De descoroçoar – desanimar, desalentar, desesperar.
Desdenha	De desdenhar – desprezar, escarnecer, menosprezar, não fazer caso.
Desditoso	Infeliz, desgraçado, desventurado.
Desencrespam-se	De desencrespar – desembaraçar, alisar, desemaranhar, desanuviar, serenar.
Deslustrada	De deslustrar – desfavorecer, desvalorizar, desacreditar.
Despojos	Restos, o que resultou de saques, o que foi espoliado dos vencidos.
Diáfano	Transparente, translúcido.
Diálogo	Fala entre duas ou mais pessoas, conversação, colóquio.
Dídimo	(Do grego *dídymos*) – Gêmeo, o que é formado de duas partes.
Díptico	Conjunto de duas obras ou coisas que se completam.
Discipulato	Aprendizado, iniciação, noviciado, tirocínio.
Dissipação	Desperdício, desregramento, depreciação.
Dissuadir	Convencer a mudar de ideia, desaconselhar, demover.
Dita	Fortuna, sorte, boa sorte.
Dizimador	Aquele que dizima, que destrói quase completamente.
Doesto	Insulto, injúria, vitupério.
Dogmatismo	Doutrina que afirma a existência de verdades indiscutíveis.
Dossel	Cobertura de flores, copa de verdura.
Dúbio	Duvidoso, incerto, ambíguo, vago.
Dúlcido	Doce, meigo, brando, afável.
Dulçoroso	Que é doce, meigo, afetuoso.

E	
Elã	(*Élan*) – Entusiasmo, impulso, arroubo, disposição.
Elixir	Bebida deliciosa, confortadora e balsâmica.
Eloquente	Dotado de eloquência, capacidade de expressão, convincente.
Embargado	Reprimido, contido, tolhido.
Embargou	De embargar – reprimir, conter, tolher.
Empeço	Empecilho, obstáculo, estorvo.
Encabulado	De encabular – acanhar, envergonhar, humilhar, aborrecer.
Encetada	De encetar – começar, principiar, iniciar.
Encrespado	Mar ou lago com superfície agitada por ondas.
Engastado	Encravado em ouro e prata, encaixado, inserido.
Engaste	Peça que sustenta a pedraria das joias (metáfora: o firmamento com as estrelas *engastadas*).
Engendrai	De engendrar – gerar, produzir, imaginar, formar.
Engodo	Engano, enganação.
Ensejar	Dar oportunidade, dar ocasião, permitir.
Ensimesmado	Concentrado, absorvido.
Ensimesmava-se	De ensimesmar-se – meter-se consigo mesmo, concentrar-se, absorver-se.
Entenebrecida	De entenebrecer – cobrir de trevas, escurecer, obscurecer, afligir, entristecer.
Entorpeçam	De entorpecer – causar torpor, enfraquecer, debilitar.
Entretecendo	De entretecer – incluir, inserir, intercalar, introduzir, entrelaçar.
Entroniza	De entronizar – elevar-se ao trono, tomar o mando, dominar, introduzir.
Enunciara	De enunciar – exprimir, declarar, expor, manifestar.
Envilece	De envilecer – tornar vil, desonrar, aviltar, rebaixar.
Ephphatha	Do aramaico "abra-se" ou "que se abra" (pronuncia-se – "efatá").
Epopeia	Poema sobre assunto grandioso e heroico, série de ações heroicas.
Ergastulado	Encarcerado, aprisionado.
Eriçado	Encrespado, arrepiado.

Escrofuloso	Portador de escrófulas, feridas oriundas de inflamação e abscesso dos gânglios linfáticos, principalmente no pescoço.
Escudela	Tigela de madeira, gamela.
Escuso	Desonesto, ilícito, imoral, indigno.
Esfaimada	Esfomeada, faminta.
Esfuziante	Muito alegre, comunicativo, vivaz, radiante, irradiante.
Esgazeado	Olhar de espanto, desvairamento.
Esmaece	De esmaecer – enfraquecer, esmorecer, perder o vigor.
Espargindo	De espargir – espalhar, irradiar, disseminar.
Esparziam	De esparzir (ou espargir) – espalhar, irradiar, disseminar.
Esplendente	Resplandecente, brilhante, cintilante.
Esplêndido	Luminoso, assombroso, espantoso, prodigioso.
Espocou	De espocar – estourar, explodir, arrebentar.
Espoliado	Privado, despojado, roubado.
Extenuado	Exausto, cansado, prostrado.
Extenuante	Que causa exaustão, prostração.
Estigma	Cicatriz, marca, sinal.
Estiolada	De estiolar – definhar, debilitar, enfraquecer.
Estirpe	Linhagem, origem, ascendência, raiz.
Estival	Relativo ao verão, estio, abrasador.
Estoicamente	Referente a estoicismo – doutrina filosófica grega do séc. III a.C., que prega o equilíbrio moral e a busca da felicidade, tranquilidade, serenidade (ataraxia). Visa também à resistência ante a dor e a adversidade.
Estoico	Resignado, tolerante.
Estrugem	De estrugir – estremecer com estrondo, estrondear, atroar, retumbar.
Estuante	Pulsante, vibrante.
Estuava	De estuar – pulsar, vibrar, arder.
Estugou	De estugar – apressar, acelerar, adiantar.
Evadira	De evadir – escapar de, fugir, evitar, desviar.
Evocativa	Que provoca evocação, que faz vir à memória, que lembra, recorda.

Luz do mundo • Edição Especial

Exaltação	Ato ou efeito de exaltar-se, excitação dos sentidos, estimulação espiritual, glorificação.
Exaurida	Cansada, exausta, esgotada.
Excelsa	Sublime, ilustre, magnífica.
Exorou	De exorar – pedir, implorar, invocar.
Expedito	Ativo, diligente, desembaraçado.
Exsudando	De exsudar – sair em gotas, gotejar.
Extravasante	Que transborda, que derrama.
Estremunhado	De estremunhar – estontear-se, aturdir-se, desorientar-se.
Exulceração	Ferimento, úlcera, dor, aflição, amargura.
Exultam	De exultar – sentir grande júbilo, alegrar-se ou regozijar-se ao extremo.
Exultante	Cheio de alegria, radiante, jubiloso.

F

Facultar	Permitir, proporcionar, conceder permissão a.
Famanaz	Célebre, afamado, prepotente, famigerado.
Famigerada	Famosa, celebrada, rumorosa.
Farta	De fartar – saciar a sede e a fome, satisfazer sentimentos e desejos.
Fascínio	Fascinação, encanto, enlevo, deslumbramento, atração irresistível.
Fastígio	Ponto mais elevado, posição eminente, apogeu, auge.
Fasto	Registro público de fatos, de obras memoráveis.
Favônio	Vento brando do poente, vento propício, próspero.
Ferinte	O que fere, lacerante, contundente.
Fímbria	Franja, orla.
Flamívolo	Que expele chamas, que lança chamas, termo poético que define aquele que voa lançando chamas.
Fomentai	De fomentar – desenvolver, incentivar, estimular.
Franqueava	De franquear – facilitar acesso, conceder, revelar.
Frêmito	Ruído surdo e áspero, sussurro, vibração.
Fremiu	De fremir – vibrar, tremer, estremecer, agitar.

Divaldo Franco • Amélia Rodrigues

Fruir	Possuir, desfrutar, gozar.
Fulgurante	Brilhante, resplandecente, cintilante.
Funesta	Fatal, letal, nociva, prejudicial.
Furibundo	Irado, colérico, enfurecido.

G	
Galardão	Prêmio, honra, glória.
Galhofa	Zombaria, escárnio, menosprezo.
Garatuja	Rabisco, garrancho, borrão.
Gárrula	Faladora, tagarela.
Gáudio	Júbilo, alegria extrema, regozijo.
Gema	Pedra preciosa.
Gethsêmani	Do aramaico – prensa de azeite, local da prensa, jardim das oliveiras.
Giesta	Arbusto ornamental de flores amarelas e perfumadas.
Gral	(Graal) – Cálice de que Jesus Cristo se teria servido na última ceia com os discípulos e no qual José de Arimateia teria recolhido o sangue e a água dimanados das chagas do Salvador na cruz.
Grei	Sociedade, partido, grupo.
Grilhão	Corrente que prende o condenado, cadeia, algema.
Grotesco	Estilo artístico de imitação de ruínas e edificações descobertas no séc. XIV em Roma; que suscita riso ou escárnio, ridículo.
Guarida	Abrigo, refúgio, proteção.
Guindado	De guindar – elevar, suspender, exaltar.

H	
Haurida	De haurir – beber, sorver, aspirar, esgotar, consumir.
Hedionda	Horrenda, viciosa, sórdida.
Hélade	Nome usado para a Grécia antiga relativo aos helenos, pequena tribo que teria dado origem ao povo grego. Heleno, irmão gêmeo de Cassandra, é um herói mitológico, filho do rei Príamo de Troia.
Helenista	Relativo à cultura da antiga civilização grega.

Híbrido	De origens diversas, diversificado.
Hipérbato	Figura de linguagem que consiste na troca da ordem direta dos termos da oração. Ex.: *"Dança, à noite, o casal de apaixonados no clube"*.
Hodierna	Moderna, nova, recente, atual, contemporânea, relativo ao dia de hoje.
Holocausto	(Do grego *holókaustos*) – "Sacrifício em que a vítima era queimada inteira"; sacrifício, execução em massa.

I

Idiossincrasia	(Do grego *idiosugkrasía*) – Temperamento particular, modo de se comportar característico, conduta extravagante, excentricidade, esquisitice.
Idolatria	Adoração, culto a imagens, objetos ou pessoas.
Ignominiosa	Ignomínia – grande desonra, opróbrio, infâmia.
Ignoto	Ignorado, desconhecido.
Ilicitude	Qualidade de ilícito, proibido, ilegítimo, contrário à moral ou ao direito.
Imolar-se	De imolar – sacrificar, matar em sacrifício.
Impenitente	Que persiste no erro, contumaz, desobediente, obstinado.
Impertérrito	Destemido, intrépido, corajoso.
Impertinência	Coisa que incomoda ou molesta, aborrecimento, importunação.
Ímpeto	Manifestação súbita e violenta, impulso, ataque, arrebatamento, precipitação.
Implemento	O que é indispensável para executar alguma coisa, apetrecho, apresto, componente.
Imprescindível	Necessário, essencial, fundamental, que se deve levar em conta.
Improcedência	Que não procede, que foi negado.
Improfícuo	Sem proveito, vão, inútil.
Incauto	Imprudente, sem cautela, ingênuo.
Inconsumpto	Não consumido, indestrutível.
Inebriava	De inebriar, embriagar, deliciar, extasiar.
Inefável	Que não se pode exprimir por palavras, indizível, inexprimível, admirável.

Inerme	Sem defesa, desarmado.
Inexcedível	Que não pode ser excedido, insuperável.
Inexaurível	Inesgotável.
Infamante	Que torna infame, desonrado, aviltante, ultrajante.
Infâmia	Perda da boa fama, desonra, degradação, baixeza.
Inflexão	Mudança de tom, de acento na voz, ato de curvar--se, de inclinar-se.
Infrene	Desenfreado, descontrolado, desordenado.
Ingente	Enorme, desmedido, estrondoso.
Injunção	Imposição, coação, determinação.
Inopino	De repente, de súbito.
Insana	Louca, demente, sem noção.
Insólito	Anormal, incomum, extraordinário.
Integérrimo	Excessivamente íntegro, extremamente correto.
Intempestiva-mente	Inoportunamente, fora do tempo.
Intestina	Interna, íntima.
Intimorato	Destemido, sem temor.
Intrincada	Enredada, emaranhada, confundida.
Inusitada	Não usual, incomum, estranha.
Invectivando	De invectivar – direcionar as críticas para, dirigir o foco da atenção.
Irisando	De irisar – brilhar como as cores do arco-íris, abrilhantar, matizar.
Irremissível	Que não merece perdão, imperdoável, inevitável.
Irretorquível	Que não se pode retorquir, irrespondível.
Irrisório	Sem importância, irrelevante, insignificante.

J	
Jaez	Qualidade, espécie, sorte, laia.

L	
Laborando	De laborar – trabalhar, lidar, labutar.
Lancinante	Doloroso, pungente, aflitivo.

Luz do mundo • Edição Especial

Lapidem	De lapidar – apedrejar, aperfeiçoar, aprimorar.
Latadas	Grades de varas para sustentar parreiras, trepadeiras ou outras plantas.
Látego	Açoite de correia ou de corda.
Legado	Valor previamente determinado que alguém deixa para outra pessoa, bens deixados por testamento, herança.
Lenir	Abrandar, suavizar, aliviar.
Lenificador	Suavizador, mitigador, que abranda.
Lenindo	De lenir – abrandar, suavizar, aplacar, mitigar.
Lenitivo	Calmante, próprio para lenir, abrandar, suavizar, aplacar, acalmar.
Liame	Vínculo, tudo aquilo cujo propósito é ligar, unir ou prender uma coisa ou pessoa a outra.
Lídimo	Legítimo, autêntico.
Lobrigarem	De lobrigar – ver a custo, ver por acaso, ver ao longe, notar, perceber.
Loendro	Planta ornamental, com flores brancas, róseas e vermelhas.
Logicavam	De logicar – discorrer com lógica, raciocinar.
Lustral	Que serve para purificar, purificado.

M	
Madressilva	Trepadeira ornamental com flores perfumadas e policrômicas.
Magote	Ajuntamento de pessoas ou de coisas, amontoado, porção.
Malévola	Maléfica, má, malvada, malevolente, de má índole.
Malogro	Falta de êxito, insucesso, fracasso.
Malsinado	De malsinar – denunciar, censurar, condenar.
Mancomunado	Em cumplicidade com, em combinação com, de conluio com.
Mansuetude	Mansidão, brandura, serenidade, calma.
Maquinação	Intriga, tramoia, conspiração, combinação.
Marulhar	Ruído das ondas do mar, agitação, tumulto, confusão.
Matrona	Matriarca de uma família, senhora, mãe.

Mazela	Ferida, chaga, enfermidade, aborrecimento, desgosto.
Mercenário	Ambicioso, calculista, desonesto, negocista.
Mescla	Amálgama, misto, mistura de elementos diversos.
Mesquinho	Pessoa agarrada a bens materiais, sovina, egoísta.
Messe	Colheita, aquisição, conquista.
Mister	Ofício, propósito, necessidade, finalidade.
Modorrento	Que tem modorra, sonolento, preguiçoso.
Modulada	De modular – cantar com variações na voz, articular, harmonizar, ajustar.
Mogno	Madeira nobre, da melhor qualidade para a fabricação de móveis.
Mole	Grande massa informe, massa.
Moloch	Deus terrível cultuado pelos amonitas de Canaã. Nome de um demônio na tradição cristã e cabalística.
Mordaz	Áspero, incisivo, maldoso, sarcástico.

N	
Nefando	Abominável, execrável, indigno.
Nefasto	Trágico, sinistro, funesto.
Negaceava	De negacear - enganar, iludir.
Negligente	Desatento, descuidado, indolente.
Neófito	Aprendiz, noviço, praticante.
Nimbado	Aureolado, envolto, cercado.
Nissan	Meses de março/abril, no calendário judaico antigo.

O	
Óbice	Obstáculo, impedimento, embaraço, empecilho.
Obnubilado	Estado de perturbação da consciência, atordoado, aturdido.
Obstante	Que obsta, que impede.
Obtemperar	Ponderar, assentir, aquiescer, responder com humildade e modéstia.

Ocre	Cor de terra, argila de tom amarelo com óxido de ferro.
Olvidar	Esquecer, apagar da lembrança ou da memória.
Onomatopeia	Palavra que imita o som natural da coisa significada, imita sons da natureza (ex.: cocorocó).
Onzenário	Relativo à onzena (juros de 11%), usurário, agiota.
Opresso	Angustiado, atormentado, oprimido.
Opróbrio	Desonra, ignomínia, afronta, injúria.
Outeiro	Colina, pequeno monte.

P

Pachorra	Falta de pressa, vagar, lentidão.
Paladino	Defensor ardoroso, protetor, intrépido, herói.
Pálio	Manto, capa.
Paranormal	Relativo a percepção extrassensorial como telepatia, clarividência, precognição, psicocinesia. Indivíduo dotado de paranormalidade.
Passadista	Referente ao passado, adepto de coisas do passado.
Pedrouço	Monte de pedras.
Penates	A casa paterna, a família, o lar, antigos deuses domésticos dos etruscos e romanos.
Perene	Duradouro, inacabável, eterno.
Perpassando	De perpassar – passar junto ou ao longo de, passar além de, transcorrer.
Petulante	Arrogante, insolente, autoritário.
Piscoso	Que tem muitos peixes.
Placidez	Serenidade, tranquilidade, sossego.
Plácido	Sereno, tranquilo, pacífico, brando.
Plaga	Região, terra, país.
Plâncton	(Do grego *plagktós* – errante, instável) – Comunidade de pequenos animais (zooplâncton) e vegetais (fitoplâncton) que vivem em suspensão nas águas doces, salobras e marinhas.
Plebe	Povo, povão, ralé, gente menos favorecida.

Plêiade	Grupo de pessoas ilustres. Na mitologia grega, as plêiades eram filhas de Atlas e Pleione. Cansadas de serem perseguidas pelo caçador Órion, pediram a Zeus que as transformasse em uma constelação. As plêiades são: Electra, Celeno, Taigete, Maia, Mérope, Astérope e Dríope. Aglomerado estelar na constelação de Touro.
Porfiai	De porfiar – empenhar, teimar, insistir, obstinar-se.
Poviléu	O povo simples, ralé.
Preceito	Regra de proceder, norma, ordem, determinação, ensinamento, doutrina.
Preconizava	De preconizar – recomendar, aconselhar, avisar.
Preludiou	De preludiar – preparar com antecedência, predispor, iniciar, estrear.
Pressuroso	Apressado, impaciente, afobado.
Presunção	Ato de presumir, pretensão, arrogância.
Primado	Primazia, prioridade, preferência, superioridade, excelência.
Primarismo	Qualidade de primário, elementar, rudimentar.
Progênie	Origem, ascendência, descendência, prole, progenitura.
Promanam	De promanar – derivar, originar, proceder, provir.
Prorrompeu	De prorromper – manifestar-se de repente, irromper impetuosamente, romper.
Prosápia	Raça, linhagem, ascendência, progênie. Orgulho, ostentação, jactância.
Publicano	Cobrador de impostos dos povos conquistados aos cofres do império romano.
Pugilato	Luta, briga a socos.
Pujança	Robustez, força, vigor, poderio, magnificência.
Pulcro	Puro, belo, formoso, gentil.
Pusilanimidade	Sem ânimo ou firmeza, fraqueza, indecisão, medo, covardia.
Pústula	Coleção purulenta, abscesso, ferida infectada.

Q	
Querela	Discussão, pendência, queixa.
Quimera	Sonho, fantasia, ilusão.

Luz do mundo • Edição Especial

Quimérico	Sem fundamento, ilusório, utópico, fantasista, relativo a sonhos e ilusões.

R

Rabi	Tratamento respeitoso, entre os judeus, equivalente a "meu senhor", "meu mestre".
Rapace	Que rouba, raptor, rapinante.
Recalcitre	De recalcitrar – resistir, teimar, replicar, rebelar.
Redargui	De redarguir – responder, replicar argumentando.
Refazimento	Restauração, recuperação, reorganização, correção.
Referendam	De referendar – responsabilizar-se por.
Referta	Muito cheia, plena.
Refocilarem	De refocilar – descansar, revigorar, refazer.
Refrigério	Bem-estar gerado pela frescura, refresco, consolação, alívio.
Refulgência	De refulgir – brilhar, cintilar, resplandecer, fulgurar.
Reiteradas	Repetidas (vezes), várias (vezes), de formas consecutivas.
Relutavam	De relutar – resistir, oferecer resistência, opor forças.
Repasto	Refeição, alimentação copiosa, banquete.
Represália	Vingança, desforra, desforço, retaliação.
Reprimenda	Advertência, censura, admoestação.
Ressarce	De ressarcir – reparar, pagar, compensar.
Ressentissem	De ressentir – magoar, consternar, entristecer.
Ressuma	De ressumar – gotejar, verter, destilar, revelar, patentear.
Ressumbrem	De ressumbrar – ressumar, transparecer, revelar, denotar.
Revérbero	Luz refletida, reflexo, claridade intensa, brilhante, resplendor.
Ricto	Abertura da boca, contração labial ou facial como expressão de cólera ou sarcasmo.
Rincões	Recantos, lugares distantes.
Rociavam	De rociar – orvalhar, borrifar, espalhar, difundir.
Romanesca	Romântica, apaixonada, sonhadora, idealista.
Rutilação	Brilho intenso, esplendor, fulgor.

Rutilante	Brilhante, resplandescente, esplendoroso.

S

Saciedade	Satisfação do apetite, fastio, abundância, fartura.
Sáfaro	Agreste, estéril, deserto.
Salmodiava	De salmodiar – cantar tristemente, entoar salmos sem inflexão de voz.
Saltimbanco	Integrante de grupo de atores nômades como trapezistas, malabaristas, equilibristas, dançarinos.
Sebe	Cerca de arbustos.
Sega	Ato ou efeito de segar, ceifa, segadura.
Seixo	Pedra lisa e arredondada, encontrada em riachos, calhau, cascalho.
Sevícia	Maus-tratos, tratar violentamente e com crueldade.
Sibilina	Relativo a sibila (na mitologia grega, sibila era profetisa inspirada por alguma divindade, feiticeira).
Siloé	(Do hebraico *shilôah* – enviado) – Piscina de Siloé, reservatório de água ao sul de Jerusalém, famoso pelo relato de João (9:1-7) sobre a cura de um cego de nascença por Jesus.
Sinagoga	(Do grego *synagoge*) – Assembleia, local de culto dos judeus.
Sinédoque	Recurso de linguagem que toma o todo pela parte, ou vice-versa. Ex.: "*O rebanho tinha mil cabeças*".
Soçobrando	De soçobrar – naufragar, perturbar, enlouquecer, desnortear-se.
Soezes	Torpes, grosseiros, vulgares.
Sofista	Aquele que usa de argumentos, que enfraquecem a verdade, em favor do falso, enganador, hipócrita.
Sôfrego	Apressado, ávido, ambicioso, impaciente.
Solapar	Destruir as bases de, abalar, demolir, desmoronar.
Soledade	Solidão, tristeza do abandono, lugar ermo, deserto.
Solilóquio	Falar consigo próprio, monólogo.
Sonata	Peça instrumental em três movimentos, iniciada no séc. XVIII.
Sopitar	Abrandar, acalmar, refrear.
Sórdido	Que causa nojo ou repugnância, imoral, mesquinho.

Staccato	Parte da dinâmica musical que resulta em notas muito curtas e separadas numa sequência.
Sucinto	Resumido, curto, conciso, condensado.
Sucumbir	Cair, dobrar-se, vergar, ser vencido.
Suserano	Senhor feudal, soberano.
Sutil	Tênue, fino, delgado, agudo, penetrante, delicado, quase impalpável.

T

Tabernáculos	Festa das tendas, festa das colheitas, de dois a nove de outubro (*tishrei*) – coincide com o início da estação das colheitas. Recorda também a peregrinação dos hebreus por quarenta anos no deserto, quando viviam em tendas.
Tácito	Silencioso, implícito, subentendido.
Tardo	Vagaroso, lento, preguiçoso, tardio.
Tarrafa	Rede de pesca circular, com chumbo nas bordas e uma corda no centro.
Taumaturgo	Que faz milagres, visionário, santo. Ex.: "*Entre os mais famosos **taumaturgos** cristãos estão São Gregório, Santo Antônio e outros*".
Tenaz	Instrumento de metal composto de duas hastes unidas por um eixo, cujas extremidades, de forma variável, servem para agarrar e/ou arrancar qualquer corpo.
Tento	Cuidado, sentido, tino, juízo.
Tênue	Delicado, sutil, delgado.
Termo	Limite, fim, conclusão, desfecho.
Tertúlia	Reunião familiar, assembleia de amigos.
Tishrei	Meses de setembro/outubro no calendário judaico antigo.
Timoneiro	O homem do leme ou timão, aquele que dirige o barco.
Tirocínio	Percepção desenvolvida para identificar o perigo, experiência, traquejo.
Titãs	Na mitologia grega, cada um dos gigantes que pretenderam destronar Zeus (Júpiter) e os outros deuses. Pessoa com caráter de grandeza física, intelectual ou moral.

Títere	Indivíduo que age somente a mando de outro, fantoche, testa de ferro.
Tolda	De toldar – encobrir, obscurecer, turvar, entristecer.
Torá	Lei mosaica, pentateuco bíblico – contida em grandes rolos de pergaminho, nas sinagogas judaicas, venerados pelos judeus.
Torpe	Infame, vil, abjeto, ignóbil, repugnante, obsceno.
Transato	Que já passou, passado, pretérito.
Transcendente	Que é sublime, superior, elevado, divino.
Trêfego	Turbulento, irrequieto, travesso.
Tremeluzem	De tremeluzir – cintilar, lucilar.
Trica	Intriga, trapaça, tramoia, traição.
Túmido	Inchado, intumescido, saliente, proeminente.
Turbulência	Agitação, desordem, ação turbulenta.

U

Ufana	Orgulhosa, vaidosa.
Ultraje	Afronta, desrespeito, injúria, insulto.
Ultrizes	Atrozes, intensos, profundos.
Ululam	De ulular – uivar, bradar, vociferar, gritar de aflição e dor.
Undécima (hora)	Corresponde às 17 horas em nossa divisão de tempo. Os judeus dividiam o dia em 12 horas: das 6 da manhã – primeira hora – às 18 horas – décima segunda hora; e a noite em 4 períodos de 3 horas cada, denominados vigílias.
Urgia	De urgir – que é urgente, forçado, obrigado.
Usura	Avareza, mesquinharia, ambição.
Usurpador	Que se apossa violentamente de, que toma pela força, que adquire por fraude, sem direito.
Utopia	Fantasia, sonho, ilusão, ficção.

V

Varapau	Pessoa magra e alta, galalau.
Vassalo	Servo, súdito submetido ao seu rei.

Vau	Trecho raso do rio para passar a pé ou a cavalo.
Veemente	Forte, enérgico, vigoroso, impetuoso, violento, intenso.
Verberação	Censura, repreensão, opressão.
Verberando	De verberar – açoitar, flagelar, censurar, criticar.
Vereda	Caminho estreito, atalho, senda.
Vetusto	Muito velho, antiquíssimo.
Vexatório	Vergonhoso, infame, humilhante, deprimente.
Vexilário	Entre os romanos, aquele que carregava o vexilo, porta-estandarte, porta-bandeira.
Vicissitude	Mudança ou variação na sucessão das coisas, transformação, alteração, eventualidade.
Virações	Vento brando e fresco.
Volúpia	Prazer dos sentidos, grande prazer.

Z

Zimbório	Cúpula, firmamento, abóbada celeste.